JN115513

石垣島の自然観察者

正木任の残したもの

# 「ツトムの虫」を探して

盛口満 著

ボーダーインク

何かが欠けてしまった。

そう気づいたとき、人は欠けたものを取り戻すべく、しゃにむに行動を始める。

しかしはたして、一度失われたものを取り戻すことは、できるものだろうか。

ここに一冊の「ない」本が「ある」。

書かれるべき本は、書き手の急逝により、存在し得なくなった。

この本では、その、「ない」本をあらわにすることを試みたい。

その本の書き手は、正木任（まさきつとむ）。

テンブンヤーヌウシュマイと呼ばれ、島の人々から慕われた、明治時代から昭和初期にかけて活躍した、石垣島測候所の名物所長・岩崎卓爾（いわさきたくじ）の「秘蔵弟子」といわれた人物である。

南の島、石垣島で、その地の自然を愛し、格闘した若き自然観察者の姿を追う。

石垣島の位置

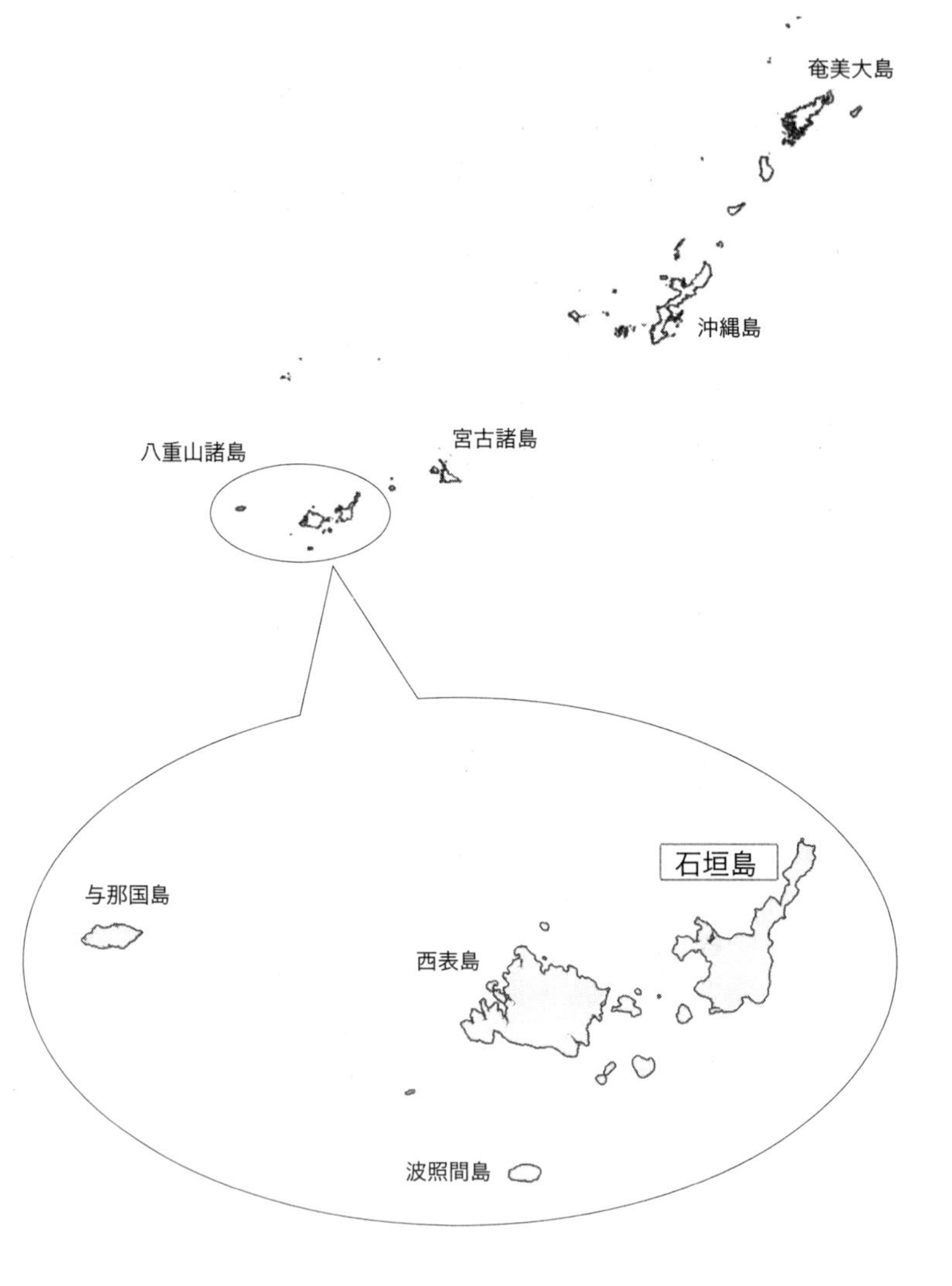

「ツトムの虫」を探して

石垣島の自然観察者・正木任の残したもの　／目次

## 【本書の主な登場人物】

〈岩崎家の人々〉

■岩崎卓爾（いわさきたくじ）
宮城県仙台生まれ。1898（明治31）年に石垣島測候所に赴任して以来、1937（昭和12）年に亡くなるまで石垣島に住み続け、本務である気象観測に従事した他、島の自然、歴史、民俗を掘り起こし、世に伝え続けた。飾らない人柄が島の人に慕われ、「天文屋ぬ御主前」と呼ばれた。イワサキゼミ、イワサキシロチョウ、イワサキコノハなどにその名を残す。

■岩崎貴志子（いわさききしこ）
宮城県仙台生まれ。卓爾の妻。卓爾との間に七人の子をなすが、子どもたちの教育問題と、年老いた卓爾の両親の世話の問題から、1913（大正2）年以降、子どもたちとともに卓爾と離れて仙台で暮らすことになる。

■岩崎南海子（いわさきなみこ）
石垣島生まれ。卓爾の次女。『岩崎卓爾一巻全集』などに、卓爾についての文章を書き残している。

語り手：盛口満：（通称ゲッチョ）
千葉県生まれ。2000年に沖縄移住し、以後、岩崎卓爾とその弟子、正木任と生き物との関わりを追う。2021年に自身の名がつく、モリグチナギサハネカクシが記載される。

〈正木家の人々〉

■正木任（まさきつとむ）
本書では「ツトム」と表記。
石垣島生まれ。明治から昭和にかけて石垣島測候所の所長としてだけでなく、島の自然、歴史、民俗を掘り起こし世に伝えた岩崎卓爾の弟子。戦前〜戦中、石垣島測候所に勤めながら、広く自然を探求し、マサキウラナミジャノメ、マサキルリモントンボなどにその名を残す。戦争末期、東京出張からの帰途、乗っていた船が米潜水艦の雷撃を受け遭難死する。

■正木シゲ
正木任の妻。戦後は女手一人で息子3年、娘一人を育て上げる。

■正木譲（まさきゆずる）
本書では「マサキさん」と表記。
正木任の次男。高校を卒業後、父である任の後を継ぐように、気象観測の道に進み、南大東島地方気象台台長などを務めたのち、定年を迎える。岩崎卓爾の影響があって、俳句も手掛ける。号は礁湖。

■正木恵美子（まさきえみこ）
本書では「エミコさん」と表記
正木譲の妻。与那国島生まれ。

〈生物研究者など〉

■南方熊楠（みなかたくまぐす）
和歌山県田辺生まれ。岩崎卓爾の同時代人。大学への進学を志すも途中で断念し、渡米。その後、大英博物館の図書館にこもり、万巻の書物に親しむ。帰国後は田辺にとどまりながら、博物学、民俗学など多方面で活躍した。

■加藤正世（かとうまさよ）
戦前から戦後にかけて活躍した昆虫研究者。『趣味の昆虫採集』と言う単行本や雑誌『昆虫界』を発刊し、昆虫学の一般普及に尽力した。セミ博士の異名を持つ。

■名和靖（なわやすし）
日本初の施設の昆虫研究施設、名和昆虫研究所を開設、雑誌『昆虫界』を発刊した。岩崎卓爾と親交があり、卓爾はチョウやシロアリの標本を名和の元へと送付していた。

■黒岩恒（くろいわひさし）
戦前、沖縄で活躍した博物学者。国頭農学校の校長も務める。クロイワゼミ、クロイワトカゲモドキなどにその名を残す。

■大島広（おおしまひろし）
九州大学の教授。ナマコなど海産無脊椎動物が専門。戦前、石垣島に４度、生物調査に訪れている。岩崎卓爾や正木任と親交があった。

■三宅貞祥（みやけさだよし）
大島広の弟子。のち九州大学の教授。カニやヤドカリなど甲殻類が専門。正木任と親交があり、戦後、譲とも交流があった。

■江崎悌三（えさきていぞう）
九州大学の教授。昆虫学、特に海産のアメンボ類などが専門。エサキモンキツノカメムシやエサキクチキゴキブリなど、多くの昆虫にその名を残す。岩崎卓爾や正木任と親交があった。

〈気象観測関係者〉

■瀬名波長宣（せなはちょうせん）
石垣島生まれ。任に先だって、石垣島測候所に勤務し、卓爾の右手となって働いた。卓爾の影響を受け、鳥のはく製づくりや、貝の収集なども手掛けた。

■喜舎場永珣（きしゃばえいじゅん）
石垣島生まれ。島の郷土史家。『八重山民俗誌』や『八重山古謡』などの大著を著している。

■喜舎場浩（きしゃばひろし）
喜舎場永珣の長男。気象観測の道に進み、卓爾の元で働いた。

■宮良孫好（みやらそんこう）
石垣島生まれ。気象観測の道に進み、与那国島測候所所長などを務める。与那国島のミヤラヒメヘビにその名を残す。

■北村伸治（きたむらしんじ）
宮古島生まれ。気象観測の道に進み、戦後の八重山気象台（のちの石垣島地方気象台）の台長などを務める。正木譲が俳句を始めるきっかけも作った。

■石島英（いしじますぐる）
石垣島生まれ。正木譲の同級生。元琉球大学教授。気象学を専攻。正木譲と共著で『沖縄　天気ことわざ』を著している。

■宮城邦昌（みやぎくにまさ）
沖縄島国頭村生まれ。石垣島地方気象台などで、正木譲の後輩として勤務。正木譲、ひいては岩崎卓爾に強い影響を受ける。

# 序章　この本が生まれるまで

コノハチョウ

## 生き物との出会い

少しだけ、この本の書き手である自分のことを紹介しておきたい。

僕は千葉県で生まれ、埼玉での教員生活を経て、現在、沖縄県の県庁所在地・那覇にある私立沖縄大学で教員をしている。大学での担当科目は、小学校教員養成課程の中での理科教育である。学生は僕のことを「ゲッチョ」というあだ名で呼ぶ。僕はまた、本業の傍ら、こうして一般向けの自然に関わる本も執筆している。

ある日、オンラインで、千葉の海浜幕張にスタジオがあるというFMラジオ番組の取材を受けた。

「モリグチさんは、どんな少年時代をすごされたんですか？」

イヤホンを通じて、そんな質問が聞こえてくる。

「子どもの頃の記憶はあんまりないんですが、小さいときから生き物が好きだったようで、友達と遊ぶ以外に、一人でそのあたりをぶらついて生き物を見ていることも多かったです。僕の生まれた千葉の館山は、家の裏手には低い山が連なっていましたし、家の正面、少しいったところには海がありましたし、自然と親しむにはいい場所だったと思います」

「子どもの頃はどんな生き物が好きだったんですか？」

重ねての質問である。

「小学校2年生ぐらいのとき、海岸に行ったら、いろんな貝殻が落ちているのに気がついたのが生き物好きになった始まりという記憶があります。それまでも、きっと海に行ったことはあると思うんですが、このとき初めて、海岸にはいろいろな種類の貝殻が落ちているということに気づいたというわけです。それからは、暇があれば海岸に行って、貝殻を拾ってきては、図鑑で名前を調べるということをしていました。これが生き物に深くかかわるようになった始まりです」

その後、小学校の5年生ごろから、僕は貝と同じように、虫にもいろいろな種類がいることに気づき、そのときから、昆虫採集にもはまった。

「大学は生物学科に進学されたということですが、どんなことを研究されたんですか?」

「僕は、うっかりものなんです」

そう答えざるを得ない。

小さい時から生き物が好きだった僕は、大学受験を前にして、躊躇なく、理学部生物学科への進学を決意した。しかし、日本各地に生物学科を擁している大学はいくつもある。どこを受験したらいいだろうか。

「遺伝子とか細胞とかじゃなくて、生き物のくらしを調べるのが、自分は好きだな。生態学が学べる大学にしよう」

そう、思う。これで、受験先がかなりしぼられた。もちろん、選んだ大学の入学試験を突破できる学力が身についているかどうかは大きな問題だ。このとき、候補に選んだ先の一つが琉球大学だった。しかし、「そんな遠くにある大学はだめ」という母親の反対を押し切ることができず、結局、僕は地元にある千葉大を受験することにした。

「それで、入学したら、貝とか虫とか、そうした小動物のことを研究したかったんです。でも、入学してわかったのは、千葉大学の生物学科の生態学教室は、扱っている研究対象が植物だったんです」

かくして、僕の卒業研究のテーマは森林生態学に関するものと相成った。もっとも、今となっては植物生態学の研究に携わったことはいい経験だったと思っている。

ラジオの取材でこんなやりとりを交わしたために、久しぶりに大学時代のことを思い出してしまった。

僕の在籍していた当時、千葉大学の理学部生物学科には、生態、系統、生理、形態の4つの研究室があった。しかし、そのいずれの教室にも、動物の行動や分類など、いわば、丸ごとの動物を研究材料として扱う教員はいなかった。また、専門の授業でも、教養の授業でも、動物に関する授業はほとんど受けることができなかった。そうした中、在学中、数少ない動物系の内容を扱った授業だったのが、学外非常勤である重井睦夫先生と、大野正男先生の授業だった。

重井先生は海産無脊椎動物、特にウニの分類が専門で、銚子の臨海実習場で行われた2泊3日の海岸動物実習の授業担当だった。海に行っては、さまざまな動物を採集して、名前を調べてスケッチをするというこの実習は、重井先生の親しみやすい性格も相まって、在学中で最も楽しい授業として記憶に残っている。もう一人の大野先生は、教養科目として設置されていた「房総の自然」という郷土の自然を紹介するオムニバス講座で、動物に関する授業を数回担当された先生だ。大野先生の専門は、昆虫のハムシの仲間の分類であり、「虫を専門とする先生に会えた」という感激から、僕はその数回の授業では、授業が終わるたびに、駅まで戻る先生にはりついて歩いた記憶がある（何を話したかは全く覚えていないけれど）。こうした働きかけのおかげか、大野先生の知己を得て、年賀状のやり取りを交わすようになり、一度だけだけれど大野先生のご自宅まで遊びにうかがったこともある。大野先生は生き物関係の本や資料の収集家としても知られているのだが、実際、図書館を思わせる蔵書数を誇る先生の家の書庫を見せていただき、仰天をした思い出もある。

## 少年時代に出会った本

僕は研究者の道を選ぶことなく、大学卒業と同時に、埼玉に新設されたばかりの中高校で理科教員となった。その学校の教員生活も10数年がすぎたころ。僕はふと、子ども時代に手にした虫にまつわる本のことを思い出した。

小学6年生の時に、学校の図書館で、昆虫採集について書かれた本を僕は手にした。この内容が、そのときの僕には、めちゃめちゃヒットした。小学校の卒業の時期が迫り、督促があって、泣く泣くこの本を返却した覚えがある。しかし、その後、中高と進むにつれ、その本の記憶は薄れていった。いつのまにか、本の題名も著者名も忘れてしまっていた（ひょっとすると、最初から題名とか著者名は気にしていなかったかもしれない）。

小学校卒業以来、20年以上たって、その本のことをふと思い出す。そしてこのとき、生き物関係の本の収集家である大野先生に問い合わせてみたら、本の題名がわかるのではないかと思いついた。

「子ども時代に読んだ昆虫採集の方法とかが書いてあった本です。小ぶりな本だった記憶があります。最後のほうに、台湾での採集記録がのっていて、その中に、トイレでフン虫を採集するくだりがあったような…。そんな本の題名や著者に思い当たることはないでしょうか」

こんな、はなはだ雲をつかむような文章を書いた手紙を、僕は大野先生の元へと送り出したのだった。

ところが、即座といっていいほど、すぐに返信があった。そこには、「その本は、おそらく加藤正世の『趣味のハンドブック　昆虫採集』という本でしょう」と書かれていた。まだインターネットが普及する以前の話である。ここから先は、学校図書館の司書の先生に手伝ってもらって、古本屋の蔵書を探し、大野先生に教えてもらった書名の本を手にすることができた（千葉大学に進学することなく、大野先生に出会わなかったら、小学生時代の記憶は、実物と結びつくことはなかったかもしれない）。そして、手にしたそれは、まぎれもなく、小学生時代の僕が、「図書館に返したくない」と思っていた本だった。

手にしたのは、カバーがなく、緑色の硬い紙の表紙を開けると、中は紙質が悪いせいか、かなり茶色く変色した紙からなる、２４９ページの本だった。巻頭には白黒のアサギマダラ、ムカシトンボ、ノコギリクワガタの写真。冒頭には「昆虫を友として」と題し、加藤の幼少期の昆虫との出会いの記憶が語られている。彼の少年時代における最初の印象的な虫の出会いは、兄の机の引き出しに入っていたツクツクボウシの死体だったのだという。加藤はこのセミになぜかひかれ、家人からその土地（加藤は栃木県生まれ）では「ツクリョーシ」と呼ばれている虫であることを教わると、翌年の「ツクリョーシ」の出現するシーズンを心待ちにし、ついには自分の手でこのセミを捕まえたとある。なお、加藤はのちに『蝉の生物学』なる大著も著し、それにより博士号も得ている「セミ博士」だ。

『趣味のハンドブック　昆虫採集』は、このあと、四季それぞれにみられる昆虫、昆虫採集方法のいろいろ、昆虫標本の作り方が取り上げられ、１９３４（昭和９）年の夏に加藤がおこなった、北は鳥海山から南は四国・足摺岬まで、約一か月間近く、各地で昆虫を採集してまわった旅の記録（「昆虫をたずねて」）が紹介されている。

例えば「四季の昆虫」の一節を引いてみよう。

「山へ行けばかならず来てよかったと思うにちがいない。路ばたの花には嫌になるほどいろいろなハナカミキリが止っている、赤いのも青いもの黄色と黒の斑のもの、黒いもの、くびだけ赤いものなど、たちまち毒びんが満員になってしまうだろう。朽木の上にはルリクワガタやオニクワガタなど、めずらしい小形のクワガタから、いかにもかわいらしい名前で、実は大きな形のヒメククワガタなどのクワガタムシ科の昆虫や、オオキノコムシ、クチキムシ類など、さかんにわれわれをよろこばせてくれる。ノリウツギやそのほかいろいろな木の花には、フタガタハナアブ、オオモモブトハナアブ、ミケアシブトハナアブなどをはじめとして、ハチに似た大型のハナアブが少なからず集まっておりどれから捕ろうかと、しばらくぼんやりしてしまうだろう。甲虫ではアオアシナガハナムグリ、オオトラフコガネ、コトラハナムグリ、その他平地でおなじみのアオハナムグリ、クロハナムグリ、ハナムグリなどの顔ぶれもにぎわしく（以下略）」

虫に興味がない人が読めば、退屈きわまりない文章かもしれないけれど、虫を追いかけていた僕にとっては、外に行けばたちまちそこら中に虫が待ち受けているかのような気にさせてくれる本だった。

なお、先の文章に出てくる「毒びん」というのは、昆虫採集に使われる用具の一つで、昆虫を麻痺・死亡させる薬品が入っているガラスびんのことだ。主に甲虫やカメムシなどの採集に使われるもので、加藤のころはクロロフォルムを使っていたと書かれている。今は一般には酢酸エチルという薬品が使われることが多く、僕も少年時代に理科教師だった父に頼んで酢酸エチルを手に入れてもらい、昆虫採集に使用していた。

毒びんに使われる薬品が昔と今で変化しているように、標本作成法でも、読み返すと、加藤の本の中には、今はもう顧みられないような標本作成方法も紹介されている。例えば体の柔らかいイモムシの内臓を取り去り、空気を吹き込みながらアルコールランプの炎であぶって乾燥させて標本を作るなんていう方法が紹介されていて、この方法は、子ども時代の僕が読んでさえ「こんなこと、本当にできるの？」と思ってしまった標本作成法だ。

加藤の本の中でも少年時代の僕に特に印象を残したのは、巻末に掲載されている「台湾採集記」である。加藤が台湾に渡ったのは、戦前の１９３７（昭和12）年のことで、台湾がまだ日本の植民地であった時代のことである。加藤は虫の中でも特にセミに興味をもっていたから、「小さいヒメハルゼミの新種を採った。また、のちにコウシュンハゴロモゼミと名付けた緑色のツマグロゼミ属もこの地の獲物だった」といったように、「台湾採集記」の中にはセミに関する記述が多くみられる。大杭山に採集に行った際は、小さいセミが今までに聞いたことのない声できれぎれに鳴いているので、何とか採集したいと追い回したが採集できず、結局付近の民家に泊めてもらい、7日もかかって、ようやく採集したという話が登場するのが、セミ好きの加藤の面目躍如たる部分だ（あやうく捜索隊の出る騒ぎになったと書かれている）。僕はセミを採集することには加藤のような情熱を持てないのだけれど、「台湾採集記」の次の一節は、印象に残った。

「大きなナンキンハゼの木が生えている。九月のはじめごろだったか研究所のTさんと一しょに行った時、ふとその木の幹を見ると、かねて捕りたいとねがっていたワタナベビワハゴロモが止まっているではないか。むちゅうで網をふると、どうしたはずみか、はいらずに飛んでしまった。自分ひとりならば、どこまでも追いかけるのだが、同行者があってみれば、それもならず、がっかりしてしまった」

印象に残ったのは、ビワハゴロモという虫が登場するからだ。ここに登場するワタナベビワハゴロモというのがどのような虫か、具体的には知らなかったのだけれど、小学生時代の僕は、セミには特別の興味を持たなかったものの、なぜかウンカやハゴロモ、ツノゼミといったセミの親戚筋にあたる虫は大好きだったので、なんだかとてつもなく素敵な虫を加藤が追い回している様子を、頭の中で思い浮かべてしまっていた。

そして「台湾採集記」の中の、大杭山での採集記録に、僕の記憶の中に強い印象を残していたフンチュウを採集する場面が登場する。

「この一週間の間にあつめた昆虫はとても多かった。目の前を飛んでいる虫をすくったら、それがめずらしいイカリツノゼミであったり、葉の上に、目が左右に長くつき出したいシュモクバエがたくさんいたり、なんともいえない変な声の虫をとってみるとそれがヒロバネウマオイであったりした。落ち着いて採集したので、獲物も少なくなかった。ある日WCへはいって、ふと下をみると、めずらしいエンマコガネや、そのほか糞虫の類がうようよしているので、すぐとび出して、長い竹ではさみ出しては毒びんにおさめた。その一つは、後にソナンエンマコガネと名づけられたものだ。なお、この記事に出てくる昆虫の名前は、その後にしらべたものであるから、採った時は何の類ぐらいまでしか分からないものが多かった」

小学生当時の僕の家もぼっとん便所だったので、僕はこの本を読んだとき、ぼっとん便所の肥え壺の中にうごめく虫を、竹を箸のようにしてつまみあげる光景というのを、まざまざと想像してしまった。うんこまみれの虫を毒びんの中にそのまま放り込んだのだろうかという疑問とともに。

ぼっとん便所の中から虫を拾い上げたことは今にいたるもないけれど、中学時代、山登りが趣味だった父に連れられ南アルプス登山をした際に、高山植物のシシウドの花にさまざまなハナカミキリの仲間がやってきているのを見て、加藤の本の中にある「山に行けば必ず来てよかったと思うに違いない」という文章が本当であることを実感した。さらにこのときは、ハナカミキリだけでなく、角が発達しているその名もツノゼミという昆虫も初めて見て、猛烈に感動した（僕の住んでいた千葉の海辺で普段見るのは、角がほとんどないトビイロツノゼミばかりだったから）。

こんなふうに、無心に貝殻や虫を追いかけていた少年時代の記憶に結びついているのが加藤の本だ。本というのは、そんなふうに読み手の個人史と、強く結びついていたりする

## 正木任という人物

今はネットが普及しているので、「加藤正世」と入れて検索すれば、この人物が生まれたのが1898（明治31）年であり、戦前の1930（昭和5）年に『趣味の昆虫採集』という本を発刊したが、これが好評だったため、以後、版を重ねたといった情報が寸時で目に飛び込んでくる。加藤は1932（昭和7）年に昆虫趣味の会なる団体も立ち上げ、翌年には『昆虫界』という雑誌も発刊、これまた昆虫に興味を持つ、プロ、アマの登竜門となったなどと紹介されている。

昔といえば、昔の話だ。

僕は1962年生まれである。いわば高度経済成長期に育ち、学生運動が過ぎ去った時代に学生生活を送り、社会人としてはバブルも経験している世代だ（埼玉の山際の学校で教員をしていた僕にとって、バブルの実感はないけれど）。

僕の父が生まれたのは1928（昭和3）年のこと。戦前に生まれ、少年時代、満州で暮らした経験を持ち、敗戦後の困窮期に食うや食わずの体験も味わいながら、自由と民主主義とは何かを一から模索した世代だ。

そして、たとえば僕の父方の祖父は1901（明治34）年生まれであり、軍国主義に染まり、戦争

に突入していった時代に社会の中心的な役割を果たす年齢層として生きた世代だ。
こうして並べてみると、加藤は三歳年上ではあるけれど、僕の祖父とほぼ同世代といっていいだろう。

世代世代によって、そしてその人の興味や履歴によって、どんな本と出合うかには大きな違いがある。たまたま出会った生き物好きの人から「僕が中学生のときに、ゲッチョ先生の本、読んだことありますよ」などと言われ、たじろぐことがある。僕が最初に本を書いてから30年ほどたっているので、こうした人に出会うのは不思議ではないのだけれど、自分の出した本が、僕の目の前にいる人にとって「子ども時代に、読んだことがある本」という扱いで語られることは、やっぱり、なんだか不思議な気がしてしまうのだ。

今思い返すと、僕の少年時代には、今のように生き物を紹介した本はそれほど多くはなかったように思う。少年時代に出会った自然の本で何より親しんだのは、貝にせよ、虫にせよ図鑑である。いずれも何度開いたものか、かぞえきれるものではない。図鑑も学年があがるとともに、子どもむきのものから専門のものへと変化していって、一番お世話になったのは、保育社から出ている原色図鑑シリーズだった。ほかに、虫の本で記憶に残っているのは、加藤の本に加え、岩波からでていた上下二冊に編集された『ファーブルの昆虫記』、そしてハチの研究者である岩田久二雄の『自然観察者の手記　昆虫とともに五十年』があげられる。

一方、僕の父はどうだったろう。戦前に生まれている父の少年時代には、僕の少年時代よりも自然を扱った本は少なかったろう。理科教員をしていた父は、昆虫少年ならぬ植物少年として、植物採集に特別の興味をひかれた少年時代をすごしている。そんな父にとって少年時代の思い出の本は、なにより牧野富太郎の植物図鑑であり、ほかに台湾在住の生物学者・人類学者である鹿野忠雄の書いた『山と雲と蕃人と』や、博物学者として名高いウォーレスの『マレー諸島』だったそうだ（『牧野日本植物図鑑』は1940年、『山と雲と蕃人と』は1941年に出版されている。また、『マレー諸島』の初版は1890年にイギリスで出版され、その翻訳版である『馬来諸島』は1942年に出版されている）。父は父なりに少年時代に本との出会いがあり、その時であった本の印象は長く保たれた。実際、晩年の父の本棚には、いつのまにか、思いでの本である『山と雲と蕃人と』の新版が並んでいた。

ちなみに、1901（明治34）年生まれの僕の祖父は僕が生まれる前に死んでいる。だから僕には祖父の記憶がない。加えて、祖母と祖父は、戦時中に離婚していて、僕の父は祖母のほうにひきとられて育ったという事情がある。そのため、我が家には祖父の写真も伝わっていない。祖父がどんな顔をしていたのかも知らないのだ。もちろん、祖父が少年時代にどんなことに興味を持ち、どんな本に影響を受けたか知る由もない。一時、大学の教員もしていたという祖父の専門は政治・経済学方面であったようだから、祖父は少年時代に自然関係の本などに心を惹かれることはなかったのではないかとも思う。

さて、1943（昭和18）年、敗戦2年前のこの年に、「虫の本を出そう」と心に秘めながら、戦禍によって命を落とした一人の人物がいる。

正木任（まさきつとむ）である。

加藤正世なら、ウィキペディアによって、そのおおまかな履歴を見て取れるが、正木任の場合はネットで検索しても、そのような情報はでてこない。世の中には、ネットにはでてこないことだってある。いや、本当はそういうことの方が多いだろう。正木任（以下、ツトムと略させてもらう）は１９０７（明治40）年生まれ。僕の祖父より６歳年下だが、加藤や僕の祖父と、おおまか、同じ世代の人物であると言っていいだろう。僕は、血縁関係はないものの、祖父と同時代を生きたツトムに、少なからぬ興味を覚えている。いや、ネットには情報があがらない彼のことを、少しでも書き残したいと思い、こうして筆をとっている。

実際には書かれることのなかったツトムの虫の本をめぐる旅を、始めることにしたい。

# 第1章　卓爾の虫

ヘチマの帽子をかぶった岩崎卓爾

石垣島の「マサキさん」と「岩崎さん」

那覇空港から飛行機に乗ると1時間もかからずに、石垣島空港に到着する。そこからバスやタクシーに乗って20分ほどで、石垣港に面した繁華街に到着する。古くは四箇とよばれた石垣島の中心地である。その一角、観光客の姿も多いアヤパニモールと名付けられたアーケード街から歩いて十分ほどの路地を入った住宅地に、フクギが黒く影を落とす鉄筋2階屋がある。門を入り、玄関をくぐるとそこは応接室だ。正面にはソファーと低い卓が置かれている。左手の壁一面に供えられているガラス戸の入った本棚には、本だけでなく、貝殻も飾られている。正面奥の壁際にも小ぶりな本棚がある。右手の窓際には机がならび、そこにはパソコンが置かれている。そのパソコンのおかれた机を前にした椅子に座る、日焼けがよく似合う、がっしりした体つきの男性が「おーおー、よく来たな」と鋭い眼光をたたえつつも笑顔で僕を迎え入れてくれる。

ツトムの次男にあたる1934（昭和9）年生れの正木譲さんである。僕はいつも「マサキさん」と呼んでいるので、以下、マサキさんと呼ぶことにする。

「モリグチ君、よく来たね」

応接室から廊下を通って奥手にある台所から、マサキさんの奥さんである料理上手のエミコさんも顔をだしてくれる。

マサキさんの長男のハジメは僕と同じ年だ。そうしたこともあって、マサキさんやエミコさんは、僕のことを親戚の子どものように扱ってくれる。僕からしてもマサキさんとエミコさんは、石垣島にいる、父と母のような存在だ。ちなみに僕の子どもたちは、マサキさんとエミコさんを、そのまま、「石垣島のじいちゃん、ばあちゃん」と呼んでいる。

２０００年に僕は、それまで勤めていた埼玉の私立学校を退職し、沖縄に移住した。その理由には、大学受験で琉球大学を選び損ねたということも、一枚どこかにかんでいるかもしれない。沖縄移住後、20年の間に、何度も僕はマサキさんの家を訪ねた。そしてマサキさんからいろいろな話を聞いてきた。むろん、その話の中には、ツトムのことも含まれている。

「親父は小さいころ、三郎と呼ばれてたよ。岩崎さんには小さいころからシャブローと呼ばれてかわいがられていたらしいよ。でも、親父の本当の名前は石垣信全なんだよ」

最初に会ったとき、マサキさんは、そんなふうにツトムのことを語りだした。

マサキさんによれば、正木任というのは、石垣信全の改名後の名前だという。確かに正木というのは、八重山では見かけない、本土風の苗字だ。幼名では三郎とも呼ばれもしたツトムは、「小さいころから岩崎さんにかわいがられた」とマサキさんは言う。この「岩崎さん」こそ、そもそも僕をツトムやマサキさんに結び付けた張本人だ。

ツトムのことを紹介するには、マサキさんの話に出てくる「岩崎さん」について、まず知っておく必要がある。

## 卓爾との出会い

僕は大学卒業後、私立の中高校に理科教員として採用された。教員になって十数年は、ほとんど無我夢中で日々をすごした。その十数年がたった時、僕はこのまま定年まで、その私立の中高校の理科教師を続けるかどうか悩み始めた。少年時代に出会った加藤の本のことを思い出したのは、このころの話だ。

「自分は一生の中で、何をしたいのだろう。もう少し、やりたいことがあったんじゃないか」

そんな漠然とした思いの中で少年時代に手にした虫の本のことも、思い出されたのだ。同じころ、僕は沖縄にまつわる一冊の本を手に取ることになった。

少年時代、僕は貝殻拾いから生き物への特別な興味を育んだ。海岸で拾った貝を持ち帰り、図鑑で名前を調べていく。すると何度通っても海岸で出会うことのない貝たちがいることに気づく。それが南の海に棲む貝たちだ。図鑑の「和歌山以南に生息」であるとか、「奄美大島以南に生息」といった記述を読んで、どれだけため息をついたことだろう。僕は貝殻拾いをしながら、同時に「南へのあこがれ」を育んでいくことになった。大学受験の際、琉球大学を受験しようとしたのも、こうした理由からだ。

少年時代の僕にとって、沖縄の島々ははるか彼方に思えた。その島々に、教員に就職してからは長期休みを利用して、ちょくちょく足を運べるようになる。その頃僕が主に通ったのは、沖縄の島々の中でも、より南に位置している八重山諸島のうちの西表島だったが、何度通っても飽きるということはなかった。ただし、何度も沖縄の島に通ううち、僕の中の「あこがれ」が実在の生き物への具体的な興味や関心に置き換わるとともに、生き物だけへの興味が、島に住む人々の歴史や文化にも広がりつつあった。

そうした経緯の中で、僕は、『沖縄』（講談社学術文庫）と題された、民俗学者の谷川健一の本を手に取ったのだった。その本によって、僕はマサキさんの口にした「岩崎さん」という人物の存在を初めて知ることになる。『沖縄』には、「無名の前衛・岩崎卓爾」と題して、明治時代から昭和初期にかけて、石垣島の測候所の所長を務めていた岩崎卓爾の簡単な評伝が載せられていたのだ。

「岩崎さん」は、気象観測に携わってきた人である。

「岩崎卓爾が三十歳になるかならぬかで、沖縄でももっとも辺境の地にある石垣島の測候所に赴任したのは明治三十一年、木造の新庁舎ができてまもないころであった。それ以来四十年、庁舎が煉瓦造り（明治四十一）となり、鉄筋コンクリート建て（大正十五）と変わっても、依然として台風に魅入られたこの島を卓爾は離れなかった」

そんなことが書かれている。

仙台出身の岩崎卓爾（以下、卓爾と記す）は１８９６（明治29）年に設立されたばかりの中央気象台付属石垣島測候所に赴任し、以後、島の土になることを願って、「沖縄でももっとも辺境の地にある石垣島」に居続ける。レーダー観測など思いもつかなかったこの時代、１８９４（明治27）年から

1895（明治28）年にかけて戦われた日清戦争に勝利した結果、1895（明治28）年に新たに領有することとなった植民地、台湾への航路途上にある石垣島に、台風観測の拠点として設置されたのが石垣島測候所である。そのため、当時の地方の測候所は各都道府県の設置となっていたにもかかわらず、石垣島測候所は東京の中央気象台に所属していた。

身を挺して、幾度となく島を襲う台風の観測を行った卓爾は、台風観測時に飛石を受けて右眼を失明するに至る。それでもなお、島を離れず、念願通り1937（昭和12）年、島でその一生を卓爾は終えることになる。また、当初、気象観測などというものを聞いたことがなかった島人にあやしまれ、うとまれたものの、やがて粉骨砕身で取り組む気象観測や防災事業に関する仕事ぶりだけでなく、島の文化や自然への共感、理解さらには島外への紹介などの活動が島の人々の信頼を勝ち得るようになる。さらにその人柄もあわさって、やがて卓爾は広く島人に慕われることとなった。結果、卓爾には「八重山王」「糸数原主人」「石垣島の聖者」「天文屋の大主前」とさまざまなあだ名がたてまつられた。彼は結婚し七人の子をもうけるが、子どもたちの教育問題と故郷の老いた両親の世話の関係で、卓爾の妻と子どもたちは、卓爾の郷里である仙台に戻ることになり、以後、卓爾は島で独り暮らしをしながら、年に一回、上京の際についでに家族のもとを訪れるという生活を送る。

こうした紹介が続く。

強烈な人生ではある。けれど、卓爾が気象観測に携わるだけの人であれば、僕の興味はそこまでひかれなかっただろう。

「彼の自然感覚には、無名の自然と無名の生活への愛がよこたわっていた。それに生物学の造詣が加わった。彼の発見した新種はイワサキ蟬、イワサキ木の葉蝶などいくつもあるが、卓爾は気象研究の必要から、気象に関連のある島の動植物に興味を抱き、島人にはめずらしい登山服を着て石垣島の山野を採集してまわった」

谷川はこう書いている。

石垣島や西表島にイワサキゼミという種類のセミがいることは知っていた。イワサキゼミは本土で見られるツクツクボウシの仲間で、夏から秋にかけて、人家近くでも盛んにゲーシュル、ゲーシュル……と鳴くセミである。しかし、そのセミに冠されているイワサキというのが、岩崎卓爾という人間にちなむことを、僕はそれまで知らずにいた。卓爾は石垣島の虫の発見の歴史に関わりがある人物らしい。このことが、僕を卓爾にひきつけた理由だった。

テンブンヤーヌウシュマイ（天文屋の御主前）

卓爾は１８６９（明治２）年に仙台で生まれている。同じ世代の有名人といえば、例えば夏目漱石が２歳年上の１８６７年生まれ。同じ１８６７年生まれには博物学者の南方熊楠もいる（なお、１８６８年が明治元年にあたる）。卓爾や漱石、熊楠は僕の祖父のさらにその上、僕にとったら曽祖父の世代ということができるだろう（『昆虫記』のファーブルや『マレー諸島』を書いたウォーレスは、ともに１８２３年生まれであり─漱石の父親と同世代─彼らは僕の曽祖父のさらに父親世代ということになる）。

僕には祖父の記憶もないので、曽祖父の世代ともなると、なかなかイメージがしづらい。マサキさんですら、卓爾の直接の記憶はないという。卓爾は1937（昭和12）年、5月18日に68歳で亡くなっているが、このときマサキさんはまだ3歳だったからだ。

1929（昭和4）年の石垣島の地方紙、『先島朝日新聞』に「その頃を語る」と題して卓爾が石垣島にわたってきた当時のことを語った内容が、2回にわけて記事として掲載されている。

卓爾は神戸から月に一度出航している台湾行の定期船に乗って、石垣まで渡った。ところが切符を買うと「神戸—八重山」と書かれていたため、卓爾は石垣島に行くつもりなのに、行先が八重山となっていては困るとクレームを言った（もちろん、八重山とは石垣のことだ）。ところが船の運航会社ですら、石垣と八重山の間にどのくらいの距離があるかわからないという返事をするしまつ。船長すら、初めての航海で、そんなことを聞かれてもわからないという返事だったと、まるで作り話のように思える体験を回想している。つまり、卓爾が石垣島に渡った1898（明治31）年頃、石垣島はそれほど一般に知られていない土地だったということだ。定期船が月に一度しか通ってこないので、石垣島から手紙を出しても返事は2カ月後か3カ月後になった。卓爾によると、当時の島の物価は鶏卵3個で1銭、牛肉1斤（600グラム）で10銭、薪はウマ一頭分で8銭だったという。「当時は5銭白銅貨を一升銭といふていましたが貨幣を信用してくれませんでした。川平や平久保辺に行商してマッチ1個と牛と交換して来たといふ行商人もあつたといふ話もききましたが、おそらく本当であつたろうと思ひます」とも卓爾は語っている。とにかく、今から考えると隔世の感がする時代に卓爾は生きていた。

それでも、僕がマサキさんのもとを初めて訪れた２０００年には、年配の方々の中には、幼少期に出会った卓爾のことを、まだ記憶している人々がいた。

石垣港から、桟橋通とよばれる道路をアヤパニモールのほうに歩いていき、もう少し進んだあたりの左手に、宮良殿内という、１８１９年に建築された昔の地頭職の邸宅があり、観光名所の一つとなっている。僕が卓爾の足跡を訪ねて石垣島を訪れるようになったころ、この宮良殿内を訪れると、当主の宮良当房さんが訪問者に対して巧みな口上で宮良殿内に関する説明をしてくれたのだが、この当房さんが直接、卓爾の思い出を語ってくれたうちの一人だった。

「祖母の時代には、女性の名に、ウナリムイ、ウナヒト、ブナヒトゥというのがありました。母の時代には、マヅル、マイツ、クイツという名がありました。うちの祖母は、明治元年産まれで、岩崎さんは、よくうちにも見えられました。話を聞くためでしょうね。正月には、元旦の挨拶に見えられました。何度かうちにこられたのを覚えていますよ。

岩崎さん、学事奨励に熱心な方でした。小学校の修了式のとき、ノートとかエンピツをもらいましたよ。岩崎さんは、我々の年代には思い出深い方ですね。夏でもはかま姿でした。テンブンヤーヌウシュマイ（天文屋の御主前）と呼んでいました。そして、岩崎さんといえば、あのヘチマの帽子ですね。ヘチマの繊維で作った帽子なので、半分、あかすりみたいに見えるものです。ヘチマの繊維をつぶしてナポレオンの帽子みたいにして、それをかぶっていたんです。これなら風通しもいいし、日陰になるし。ヘチマの帽子をかぶっていたのは、そういうことじゃなかったんですかね。テンブンヤー（天文屋＝測候所）の落成式にも行ったことがあります。いろんな余興があって、島中から人が集まって。岩崎さんは杖をつかれていて、黒い眼鏡をしていたかね。そうした姿で、町の中も闊歩しておられた。私は小学校を卒業してから島を飛び出したから、その後のことはわからないが。だから、自分なんかは、岩崎さんは戦後まで生きておられたような錯覚をもっています。

岩崎さんは、八重山の文化、民謡の価値を認めておられたようですね。その当時としたら、珍しいですよね。岩崎さんは、仙台の方ですよね。それが、なぜわざわざ石垣島まで来たのかなと不思議です。でも、東北の沖で遭難すると、黒潮反流に乗って、八重山に流れ着いたりするんです。仙台人、漂流す…という古文書がうちにあります。熊野灘の沖で遭難すると、久高島に漂着するそうです。そんなふうに、北から伝わった文化と、黒潮に乗ってきた南下してきた文化と、ここにはミックスした文化があります。そういう意味で、石垣島はいい位置にあるんじゃないですかね。海岸の漂着物のように、文化が寄り集まるところ。そういうところに、岩崎さんも興味をもたれたんじゃないですかね」

当房さんは、こんな話をしてくれた。なお、卓爾は島に関する様々なことに興味を持ち、その記録を書き残しているが、その中の一つに漂流船舶の記録がある（『岩崎卓爾一巻全集』所収）。そして、その記録の中に、当房さんの話に出てくるように、１７３９年に石垣島に「奥州仙台人漂着ス」と書かれているのが目に留まる。

明治から昭和にかけて和歌山に腰を据えて活躍した博物学者の南方熊楠には、自在にゲロを吐くことが出来たなど、様々な奇行が伝えられているけれど、卓爾は奇行というより奇装の人であったらしい。人々がだんだん洋装へと移行していく中で、ガンとして羽織袴姿で通していたという（先の谷川の本の中には、卓爾が登山服を着て採集にでかけたとあるが、あとで紹介するように、どうやら採集時も和服で通していたようだ）。首には島の伝統宗教に関わる女性が身に着けた首飾りをさげていたり、他に誰もかぶっていなかったようなヘチマの繊維を加工した帽子を愛用したりしていたという。

卓爾の恰好が印象的だったという話は、石垣島出身で、１９３５（昭和10）年から終戦時まで、途中の兵役と南洋での気象観測をはさみ、都合三度石垣島測候所に勤務していた、１９１８（大正７）年に生まれた上里直全さんからもうかがうことができた。

「自分は長生きしておるね。測候所の通信用ポールを立てたときは大変だったよ。岩を砕いてね。基礎工事も深く掘って。

ウシュマイはちょっと変わった人であったよ。ずっと和服さ。あと、ナベーラ（ヘチマ）帽子よ。ほかの帽子、絶対かぶらなかったよ。この格好のことは、いつまでも記憶に残っておるさ」

そんなお話だ。

そして、こんな恰好をしていたため、島の子どもたちがおもしろがって、卓爾が歩いていると、後ろをついて回ったらしい。

やはり石垣出身で気象学務に長く携わった、１９２０（大正９）年生まれの宮良孫好さんは次のような話を語ってくれた。

「小学校時代、学歴が優秀だと石垣小と登野城小には、卒業のときに測候所長賞というのがあったんです。岩崎さんが、和服で卒業式に見えて、訓示をするわけです。今、どういう話をしたのか思い出せませんが。小学校の4、5年のときの記憶ですね。僕は、中学校は那覇にきているので、岩崎さんにはその後会っていないのですが。当時は、測候所が石垣における科学の殿堂です。コンクリート建築ですし、無線塔もありますし。文化の先端をいっていたわけです。俗に言う、白亜の殿堂です。岩崎所長はテンブンヤーヌウシュマイと呼ばれていました。岩崎さんについては、家内のほうがよく知っています。家内によると、岩崎さんが通ると、子どもたちがぞろぞろついて行ったそうです。それでも、岩崎さんは怒ったりすることが無かったようですね」

なお、卓爾の次女の菊池南海子が「孤島の父・岩崎卓爾」（菊池 1969）という文章を書き記している。この中にも、卓爾のうしろを子どもたちがついていった話がでてくる。

「子供好きの父は又子供達にも好かれていた。父が通ると子供たちは〝ブスフキ、ブスフキ、テンモンヤヌ、ブスフキ、ウシュマイ〟といってからかった。父は〝ブスフカ、ブスフカ〟と言いながら子供達の頭をなでた。ブスフキというのは臍下に帯をしめることで……」とある。

また、僕が沖縄に移住した2000年当時、マサキさんの家には、ツトムの妻、つまりマサキさんの母親である1908（明治41）年生まれのシゲさんが同居されていた。ツトムとの結婚に当たっての仲人が卓爾だったというシゲさんからも、わずかな時間ではあるけれど、卓爾についての思い出をきかせていただいたことがある。

「岩崎さんは、私と主人の結婚式で仲人をしてくださいました。八重山初のキリスト教結婚式で、測候所でやったんですよ。そうねぇ。岩崎さんはクリスチャンだったのかしら？　昔はインテリはみんなクリスチャンに興味を持っていたから。でも、本格的なクリスチャンじゃないわね。私もそのころはクリスチャンではありませんでしたが、今はクリスチャンになりました。主人は結核になったことがあって、それでクリスチャンになったようです。昔は結核は助からない病気だと思われていましたから。岩崎さんは、そうね、もう誰とでも親しく話す人でしたね。島のお年寄りを敬っていて、お年寄りのいるうちに年賀のあいさつとか、まわられていました。いつも東北弁で。紀元節や天長節などのときは、小学校の来賓に呼ばれて、祝辞を述べていましたが、そのときも東北弁でしたよ。岩崎さんのことは、テンブンヤーヌウシュマイと呼んでいました。私の中学生のいとこが作って、そのころ歌っていた替え歌を覚えています。

テンブンヤーヌウシュメーサイ（天文屋の御主前）
アチャーヌテンチヤーチャーヤイビガー（明日の天気はどうですか）
テンブンハカユサマッチョーケー（天気を測るから、まっていなさい）
アメーヤアラシー（雨と嵐）

最後に紹介してもらった替え歌は、「ゴンべさんの赤ちゃんが風邪ひいた～」という歌詞で歌われる、アメリカ民謡の曲にあわせた替え歌である。

## 卓爾の「新種」

「最強の前衛の魂をもっていた卓爾の伝記はいまだ一冊も出ていない。それはむしろ、ありふれた無名の前衛を一途に貫こうとした人間にとってふさわしいことかもしれぬ」

谷川はこのように『沖縄』に掲載された卓爾の評伝をまとめている。ただし、この谷川の評伝は1962年、つまり僕の生まれた年に『日本読書新聞』に掲載されたものである。その後、卓爾が石垣島に渡るまでの履歴も含めて、本格的な卓爾の伝記が、児童文学者の谷真介によって1982年に、『台風の島に生きる』（偕成社文庫）としてまとめられている。また、谷らの手によって、卓爾の著作をとりまとめた『岩崎卓爾一巻全集』（1974）もすでに出版されている。ところで手に入れたこれらの本を読んで、「おや？」と思ったことがある。

例えば『台風の島に生きる』の中には、卓爾が見つけた「新種」の生き物たちの一覧がある。これは、次ページのように、1、「採集年が判明している新種」と2、「採集年が不明の新種」に分けて掲載されている。

読者のみなさんは、このリストを見て「おや？」と思う点があるだろうか。

僕が「おや？」と思ったのは、生き物好きの僕にとって、首をかしげるような生き物の名前がいくつか散見できたからだ。

例えばイワサキオオトカゲカメムシというのは、明らかに誤植だ。これはイワサキオオトゲカメム

岩崎卓爾が発見した昆虫その他の新種一覧
〔『台風の島に生きる』（谷真介著）より〕

| | |
|---|---|
| 1、採集年が判明している新種 | イワサキクサゼミ（1907年）<br>イワサキコノハチョウ（1911年）<br>イワサキゼミ（1913年）<br>イワサキヒメハルゼミ（1913年）<br>イワサキタテハモドキ（1915年）<br>イワサキワモンベニヘビ（1935年）<br>イワサキセダカヘビ（1937年） |
| 2、採集年が不明な新種 | イワサキシロチョウ<br>イワサキカレハ<br>シロオビマダラ<br>シロオビヒカゲ<br>タイワンクロボシ<br>ヒメホタル<br>イワサキホタル<br>イワサキモンキゴミムシマダラ<br>イワサキキンスジカミキリ<br>イワサキホウジャク<br>イワサキヘリカメムシ<br>イワサキカメムシ<br>イワサキオオトカゲカメムシ<br>イワサキシロアリ<br>イワサキドクグモ<br>イワサキハエトリグモ |

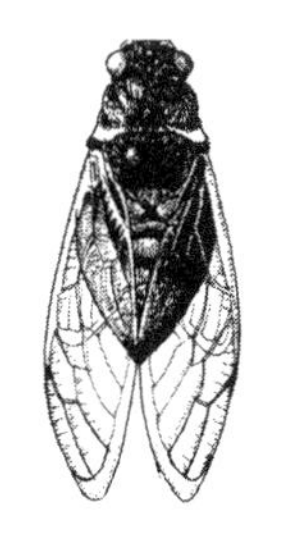

イワサキクサゼミ
（19mm）

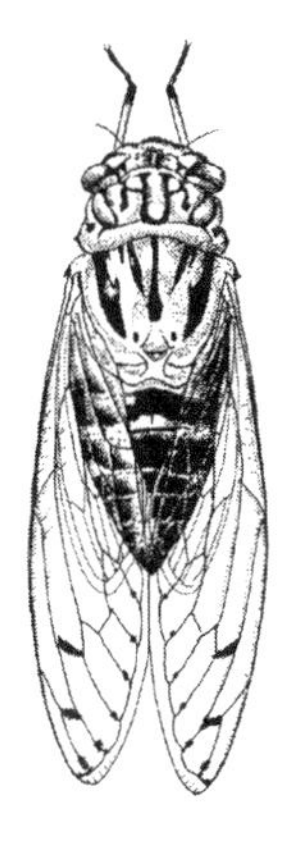

イワサキゼミ
（44mm）

シが正式な名前である。これは、単純な誤植だから、まあ、わかる。ただし、まだ「おや？」と思う生き物の名がある。

例えばイワサキモンキゴミムシマダラという名前はおかしい。昆虫の名前は、たとえどんなに長いものでも、ある規則性に則ってつけられている。なので、それまで見たことがない虫の名前でも、「ちょっとおかしいな？」と気づいたりすることがあるわけだ。これはおそらく、イワサキモンキゴミムシダマシという虫の名前が、どこかで間違って伝わったものだろう。ところが、現在出版されている虫の図鑑を見ても、イワサキモンキゴミムシダマシという虫は出てこない。

さらにまだ、ある。ヒメホタルというのは、一見、普通にいてもおかしくない虫の名前だし、実際にヒメボタルという名前の虫はいるのだけれど、ヒメボタルなら、本土にいるホタルの種類だ。卓爾が「新種」として見つけた石垣島のホタルに、ヒメホタルと名がついているけれど、これはどうやら現在は別の名前で呼ばれているホタルではないかと思われる。エトセトラ、エトセトラ。

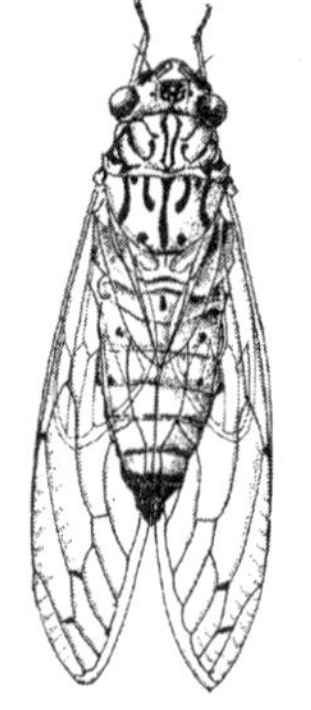

イワサキヒメハルゼミ（34mm）

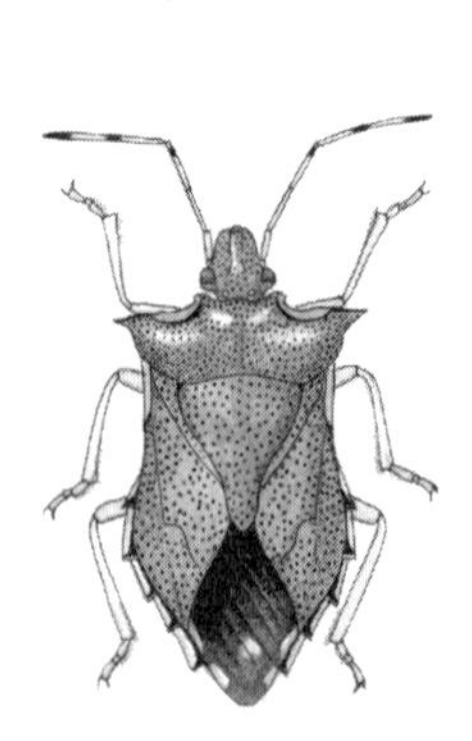

イワサキオオトゲカメムシ

こんなふうに、谷によって卓爾の履歴はかなり明らかにされたし、卓爾が書き残した文章も一冊の本としてまとめられたというものの、卓爾と生き物の関わりについては、どうやらまだはっきりしていないことが多いのではないかと予想がついた。そこで、沖縄に移住したら、卓爾と虫とのかかわりについて追いかけてみようと思ったのだ。

## 卓爾の幼少期

シャブローと呼ばれたツトムが卓爾にかわいがられたのは、チョウを採集して卓爾のもとへと持って行ったからだとマサキさんは言った。このことについては、ツトム自身が、卓爾が亡くなったのち、卓爾を追悼する雑誌の特集で次のように書いている。

「此島を訪れるものは単なる行客であらうが各方面の研究家であらうが、岩崎先生の門を叩かぬものはなかった。先生は郷里を離れて40余年此島を訪れるものを自ら同道案内されたが、昭和12年3月下旬脊髄病に襲はれ遂に同年5月18日午前11時30分69歳を以って永き眠りに就かれたのである。誠に哀惜の極みである。小生は幼少の頃蝶を採集して先生の許へ持参して可愛がられるのが一番の楽しみであった。又昭和３年以来気象事業を先生の下で従事した関係があり、公的私的に御指導鞭撻下さった恩人である」（正木　１９３８）

加藤正世は、自身の虫との出会いについて『趣味のハンドブック　昆虫採集』の中に書いているので、彼が小さなころから虫好きであったということがわかる。僕の祖父世代である、１８９８（明治38）年に生まれた加藤は、最初に興味をもったのは、兄の机の中から出てきたツクツクボウシの死体であることを回想しているが、その加藤の兄たちは、当時東京の中学に通っていて、夏休みに帰省すると昆虫採集をしていた（宿題として出されたのではないかとある）ということも書き記している（ツクツクボウシの死体も、昆虫採集の残り物だったのだろう）。つまり、加藤がツクツクボウシの死体を見つけた6歳ぐらいのころ（１９０４年頃＝明治37年頃）には、昆虫採集をする中学生がさほど珍しくなかったということを意味していそうだ。

では、加藤やツトムの父親世代にあたる卓爾の場合はどうか。卓爾は幼少のころの自身のことを書き記していない。幼少のころに限らず、自身と虫との出会いについても書き記していない。僕はすでに卓爾と虫とのかかわりについて調べた結果から、一冊の本（『ゲッチョ昆虫記』）を書いているけれど、その本に書いたように、卓爾がいつ、どんなきっかけで昆虫採集を始めるようになったかはわかっていない。

谷の伝記にも出てこない内容も含め、卓爾の就学時代に関して、石垣島出身でマサキさんの中高時代の同級生である元琉球大学理学部教授・石島英さんが、「天文屋のお主前」という報告を発表している。

マサキさんに紹介をもらい、石島さんと面会の約束を取り付ける。石島さんは、こうした報告を発表されているのだから、さぞかし卓爾に興味を持っているかと思い、石島さん自身と卓爾との関わり

について まず、聞いてみた。石島さんの専門は気象学なのであるが、「気象をやりはじめたこれといった動機はないです」ということを聞いて驚き、「石垣出身ではあるけれど、両親から卓爾の話を聞いたこともない」ということを聞いて、また驚く。それでも、石島さんが卓爾の出身地にある東北大に進学し、卓爾とかかわりの深い気象学を専攻としたのは奇しき縁といえるかもしれない。石島さんは「八重山の文化人が育つ種をまいたのは岩崎さん」と言う。結局のところ、石島さん自身、自覚はなかったけれど、自身の履歴に、どこか卓爾の影響があるのではないかと語ってくれた。

石島さんは、東北大出身という履歴を活用し、卓爾の幼少期についての資料をさぐり、「天文屋のお主前」を書いている。これによれば、卓爾の幼少期のころについては記録がないが、おそらく仙台藩士が通っていた私立の藩校で小学校レベルの教育をおえてのち、１８８５（明治18）年に宮城中学校に入学したのではないかと、石島さんは推測している。

「明治21年第二高等中学校（明治27年に第二高等学校、俗称・旧制二高校に改称、現在の東北大学教養課程に相当）に入学している。卓爾の第二高等中学校の一期先輩には滝廉太郎の作曲で知られる「荒城の月」の詩を書いた土井晩翠がいた。（中略）この中学校には予科補充科（2年修業年限）、予科（3年修業年限）、本科（2年修業年限）があり、卓爾はこの予科補充科に明治21〜24年（１８８８〜１８９１）在籍していた。卓爾は学業成績は群を抜いていなかったが、クラスの中の一つのグループを世話するグループ長になっていることから判断すると指導力や行動力をかわれていたと察せられる」

石島さんによると、こうある。しかし卓爾は本来2年の修業年限である予科補充科に3年在籍したのち、同校を退学している。そしてその翌年には北海道に渡り、北海道庁の札幌一等測候所に気象研究生として入所、気象観測業務に携わる道を歩き始める。

中途で学業から身を引いた理由については、石島さんも触れていないが、ひょっとすると当時の学校での学びのスタイルは、彼が望む学びのスタイルではなかったのかもしれない。同世代にあたる南方熊楠も地元、和歌山の中学校を卒業後、上京し１８８４（明治17）年に東京大学予備門（2年後には第一高等中学校と改称され、１８９４〈明治27〉年に第一高等学校へ改称）に入学する（同級生には夏目漱石がいる）が、二年目からは欠席が目立ち始め、やがて中退してしまう。『南方熊楠　神羅万象を見つめた少年』の中で著者の飯倉は、熊楠について「自分の学問に対する要求が、日本の学校教育のなかだけでは満たされないことだけは、経験的に分かっていました」と書いている。熊楠の場合、日本に限らず、学校制度そのものがあわなかったようで、その後もアメリカにわたり、農科大学に席を置くものの、やはり中途で退学をし、結局はイギリスにわたってから大英博物館の図書館にこもって万巻の書籍を紐解いて自学自習をするという学びのスタイルを突き通すようになる。どうも、卓爾にも、そうした「気」があるような気がする。

### 卓爾と虫との関わり

卓爾は高等中学を退学後、１８９２（明治25）年、23歳の時に、北海道・札幌の測候所に気象研究生として入所して以降、気象観測と関わる人生を歩み始める。１８９７（明治30）年には、北海道庁測候所を退職後、東京の中央気象台に入り直し、一時富士山頂の気象観測にもかかわっている。翌１８９８（明治31）年に、29歳の卓爾は当時、中央気象台付属だった石垣島測候所勤務を拝命することになる。

卓爾と虫との関わりで、記録が残っているのは、この石垣島測候所勤務後だ。

さて、僕が調べた限り、一番古い卓爾と虫とのかかわりの記録は、１９０６（明治39）年、卓爾が37歳の年、東京への出張途上、岐阜にあった私立の名和昆虫研究所を訪ねたときのものである。

名和昆虫研究所は、ギフチョウの発見者として知られる名和靖が１８９６（明治29）年に岐阜に設立した日本で最古の私設の昆虫研究所である。名和昆虫研究所は昆虫全般の研究のほか、特に害虫防除の研究に力を注ぎ、また昆虫に関する知識を一般に普及することにも力をいれていた。こうしたことから、専門誌の『昆虫世界』を１８９７（明治30）年から発刊する。その発刊の辞の一部を引くと、次のようにある。

「名和昆虫研究所は多年斯学の為め尽すところあり。今や気運は本研究所をして本誌を発行するの止を得ざるに到らしめたり。左れば本誌は研究の材料を江湖に與ふると同時に又た応用の途を講ずるものなり。換言すれば本誌は名和昆虫研究所に於て研究し得たる結果を普く世間に発表し以て斯学の研究に資し吾人の取らざる所にして要は唯だ実用を図るに在り。（中略）本所長名利靖は多年斯学の為に一身を犠牲に供し今や気運の促す所となり。茲に本誌を発行す　彼の朝に起て夕に仆るる営利的雑誌とは事固より同じからず。其双肩に負へる任務と名誉は本誌と共に終始せんとするの決心ある是なり」

昆虫雑誌といえども、明治時代らしい力の入り具合がうかがえる発刊の辞だ。「朝に発刊されたかと思うと、夕方にはもう廃刊になるような雑誌とは一緒にしてくれるな」と発刊の辞にあるが、その志の通り、『昆虫世界』は１９４６年に終刊するまで、「実に50年にわたって、最後の１、２年を除いては途中全く休刊することなく規則正しく毎月発行を続けて来たもので、これは広く我が学会を通じて他に類例を見ない大偉業であった」と、九州大学の昆虫研究者、江崎悌三は「日本の現代昆虫学略史」の中で書いている（江崎　１９８４）。

１９０６（明治39）年の卓爾の訪問は、名和昆虫研究所の発行している『昆虫世界』（第10巻）に「岩崎卓爾氏の来所と昆虫標本送付」と題して紹介された。

この中で「人と語るに隔意なく、節操の堅確なる、利を捨て義を取り、其清節、当世得難きの人なり」と卓爾の人柄が賞賛されているのと同時に、「氏は昆虫の人世に至大の関係あるを以て大にこれを研究せんとの念を起し公務の余暇をみて所員と共に時々採集を試みらるる由にて、すでに多数の標本を当所に送られたり」と、すでに卓爾が同研究所に多くの虫の標本を送っていたことも併記されている。

卓爾の送った虫の名をあげると、オオゴマダラ、カラスアゲハ、クロアゲハ、シロオビアゲハ、ヒメアカタテハ、ウスイロコジャノメ（＝リュウキュウヒメジャノメ）、モンキテフ、クロスジカバマダラ、アゲハノテフ、リウキウアサギマダラ、ルリタテハ、ムモンタテハモドキ（＝タテハモドキ秋型）、ミスジテフ（＝リュウキュウミスジ）などで、このほか、ガ類十数種、甲虫及びカメムシ類数十種とある。

同年の『昆虫世界』10巻108号には、名和梅吉が「琉球産蝶類目録」に65種のチョウの名をあげているが、そのうち40余種は卓爾から寄贈を受けたものであることが書かれている。また、この目録の発表後、卓爾が目録に名がでていなかったチョウとして、あらたにアカタテハとヤマトシジミを名和昆虫研究所に送ったことも、『昆虫世界』に続けて報告された。翌1907（明治40）年の『昆虫世界』11巻123号にも、「岩崎氏寄贈の沖縄産蝶5種」の題のもと、またたくさんの石垣島産チョウ類の標本が、卓爾から名和昆虫研究所に寄贈があったことが紹介されている。

卓爾はのちに「蝶仙」と号するほど、虫の中でも特にチョウに興味を持っていたのだけれど、こうして初めて『昆虫世界』にその名が登場したときには、すでに、かなりチョウの採集に入れ込んでいたことがわかる。またチョウ以外の虫も採集していたこともわかる。しかし、こうした昆虫への興味が、いつ、どのような経緯で卓爾の中にわきおこったのかについて、卓爾自身は何も書き残していない。ただし、卓爾の仕事の選択が、卓爾と虫との関わりに大きな影響を与えていることは確かだ

## 生物季節観測

気象観測の一つには、生物季節観測という、虫の動態に注意を払わなければならない業務がある。

２０２０年11月10日付で、気象庁・大気海洋部が「生物季節観測の種目、現象の変更について」というお知らせを出したことは一般にも報道がなされ、その内容は生き物好きの間のツイッターの間では盛んに取り上げられた。

生物季節の観測というので、一番身近なものは「サクラの開花」に関する情報だろう。日本では、明治以降、サクラ以外にも、動植物の開花や落葉、飛来、初鳴き等についての観測を続けてきた。しかし、気象庁の発表によれば、観測対象としていた植物の周囲の環境変化が著しくなったり、観測対象としていた動物の姿が見られなくなったりした事例が増加したことから、2021年以降、生物季節の観測を大幅に縮小し、「気象の長期変化（地球温暖化等）及び一年を通じた季節変化やその遅れ進みを全国的に把握することに適した代表的な種目、現象を継続」観測するものの、そのほかの観測は廃止することにしたというのが、このときのお知らせの内容だった。なお、継続して観測の対象とするとなっていたのは、以下のものだ。

アジサイの開花
イチョウの黄葉、落葉
ウメの開花
カエデの紅葉、落葉
サクラの開花、満開
ススキの開花

この発表に対しては、観測縮小を惜しむ声など、反響が大きく、結局、気象庁ではこの発表の内容を取り下げることになった。しかし、現在、気象業務自体の中では、生物季節観測の重要性はかなり低くなっていることは確かだろう。

ここで生物季節の観測の歴史を少し紐解いてみる。日本における生物季節の観測は、文献によれば、最も古いものとしては1880（明治13）年に出された気象観測法に記載されたものであるとされている（中原　1942）。この気象観測法に記載された内容は、アメリカの気象観測法を翻訳したもので、例えば生物季節の観測対象の説明としては、次のような内容が書かれていた。

是レ即チ植物花葉ノ初出、走獣飛禽爬虫鱗分昆虫等ノ如キ冬ヲ避ケ遷移スル動物ノ出没来去ノ時期、飛禽類ノ巣ヲ営ム時期、走獣類ノ毛角脱換及ビ仔ヲ産ム時期、爬虫及ビ昆蟲ノ発声時期其他記シテ益アリト思考スル処ノ諸件ナリ

植物の咲き始め、葉の展開時期、冬ごもりしていた動物たちの出現期、鳥の営巣期、獣の角の脱落期、虫やカエルなどの鳴き始め……こうしたものが、生物季節の観測対象としてあげられている。

さらに1886（明治19）年には、改めて正式な気象観測法が定められ、そこに「動物報告」「植物報告」という名で生物季節に関する内容も記載された。この「動物報告」の中に、当時、生物季節観測がどのような位置づけでとらえられていたかが、よくわかる一文がある。

動物発育ノ変遷ハ気象ト直接関係ヲ有スルモノニシテ各地方ノ気候ヲ調査スルニ欠クベカラザル原料ナリ。又我国ニ於テ観測シタル動物ノ現象ト対照スル時ハ殖産ノ道ヲ助クル事大ナレバ各地方ノ有志者ニ於テ奮ツテ此ノ観測ニ従事セバ其ノ利益大ナルベシ

このように戦前の日本において、生物季節観測は産業の発展ともかかわる極めて重要な観測事項と考えられていたわけである。

この時に定められた動物に関する報告では、「渡鳥、常住鳥、獣、昆虫、蟄虫、期魚、常魚」の7類を対象とするとあったが、さらに「平生渡来セザル鳥類飛来シタルコトアリタルトキ及ビ平生常住セザル鳥獣虫魚類ヲ見タルトキモ余白ニ付記シテ報告スベシ」と定められてあった。気象観測者は、普段見られない鳥や虫、魚などが観察された場合も報告する必要があったわけで、つまり、かなり地域の動植物の動態に注意を払う必要が求められていたのだ。

なお、生物季節の観測に関する法は、1929（昭和4）年にさらに改訂がなされたのち、1930（昭和5）年の改訂によって、正式に生物季節観測という名称が使われるようになった。

また、報告にあたっては、1880（明治13）年に定められた気象観測法の中ですでに、「是ヲ記載スルニハ可成ハ学術上ノ名ト通称トヲ以テスベシ、然レドモ、学術上ノ名ヲ識ラザルハ只通称ノミヲ用フルモ可ナリ」と学術名での報告を提唱していて、さらに1940年（昭和15）年の戦前最後の改

訂では、「品種名は細別した名称を書く、例えば単に蛙とせず、雨蛙、殿様蛙、土蛙、蟇蛙、赤蛙等に細分し記入する。尚学名不詳のものは一応地方名を記入し置き、別に標本或は写真を添え中央気象台に照会せられたい」と、生物季節観測の対象となる生物種に関しては、できる限り厳密な同定を行うことが推奨されている。

つまり、気象観測業務に携わるようになった卓爾は、必然的に虫も含めた生き物と関わらざるを得なかった。

## 卓爾の生物季節観測記録

沖縄に移住して、石垣島の図書館にも通い、古い新聞の中に登場する卓爾の姿も追ってみることにした。

そうした古い記事の中で目を引いたのが、『先島朝日新聞』に掲載されていた、石垣島測候所発表の、当地の動植物季節観測の結果だ。いくつか、抜いてみることにする。

1931（昭和6）年
3月1日　クモタケ発生　昨年ヨリ13日早シ
同日　ハルマカニ穴ヲ啓ク　平年ヨリ16日早ク昨年ヨリ4日早シ
3月5日　ヒメホタル発生　平年ヨリ33日早ク昨年ヨリ14日早シ

同日　ヒメアカタテハ蛹化　15日7時羽化
3月9日　木ノ葉蝶蛹化　25日11時羽化
3月17日　ヒメアカタテハ蛹化　26日羽化
4月7日　ヒメクサゼミ発生　平年ヨリ6日早ク昨年ヨリ15日晩シ
4月17日　リウキウアカセウビン発声　平年ヨリ12日早ク昨年ヨリ5日早シ
4月22日　タイワンヒメシロアリ羽化
4月24日　リウキウサンカウテウ発声　平年ヨリ7日晩ク昨年ヨリ2日晩シ
5月2日　家白蟻羽化　平年ヨリ11日晩シ
5月8日　ニイニイセミ発声　平年ヨリ12日晩ク昨年ヨリ14日晩シ
5月27日　リウキウクマセミ発声（以下略）

なお飛んで9月1日の記録を見ると、そこには「イワサキホタル発生　平年ヨリ4日早ク　昨年ニ全シ」と書かれている。

クモタケ

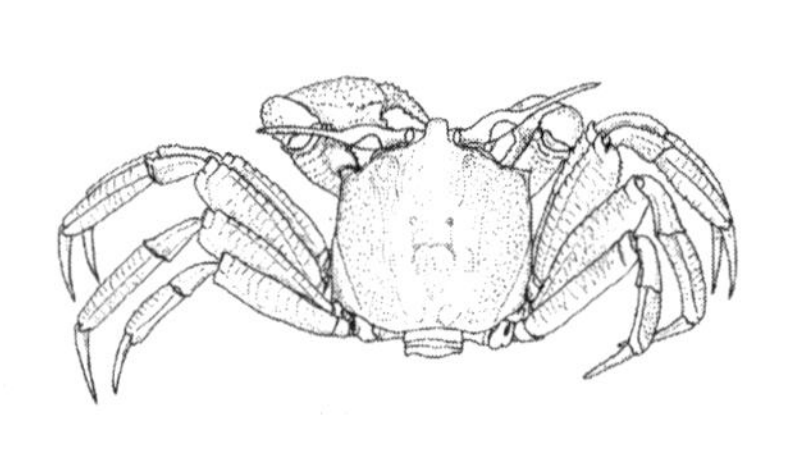

ハルマガニ（ツノメガニ）

いくつか注をつけておくと、クモタケはトタテグモに寄生する菌類の冬虫夏草の一種。またハルマカニは、砂浜に生息しているツノメガニのこと。ツノメガには冬季は砂の中に穴を掘って、その中ですごし、暖かくなると、カニは穴から外に出てくる。当時の石垣島測候所では、その穴からツノメガニが出てくる時期を観測していたわけである。

それにしても、当時、生物季節の観測が重要視されていたとはいえ、セミ類の発声時期や、人家に被害を及ぼすことのあるシロアリの羽化、ツノメガニが穴から姿を現す時期（島ではこのカニが姿を現す時期と、この季節特有の暴風の到来を関連づけていた）はともかく、チョウの羽化や冬虫夏草の発生時期まで測候所からの発表がなされていたのは、少々「やりすぎ」の感もいなめない。言い換えれば、いくら生物季節観測が業務の一環だったとせよ、卓爾の自然物への興味は、単なる業務上で必要とされていたことにとどまっていなかったということだ。

卓爾や、卓爾の配下にあった測候所の職員の手による生物季節観測の記録は、新聞紙上以外でも目にすることができる。

大正時代末期から昭和初期にかけて（１９２５～１９３８年）、当時の農林省畜産局（のちの山林局）の鳥獣調査室が、野生鳥獣の保護や、狩猟鳥獣の増産に関する研究を目的とし、全国の研究者や研究機関に調査を依頼して、その結果を報告書にまとめている。その報告書（復刻版）を見ると、「葉書通信」と題された報告の中に、石垣島測候所からのものが散見できる。

例えばその最初の通信は、１９２６（大正15）年5月21日のもので、「ホトトギスの声をきく　5月

20日夜後8時50分（東部標準時） ホトトギス南より北へ渡る鳴声2回」とある。同年9月6日には、「ツグミの渡来　本日午後2時ツグミ来る　平年より10日早し」という通信がだされている。渡り鳥だけでなく、生物季節観測の中で「常鳥」（現在では留鳥と呼ばれている）とされている鳥たちの観察記録も通信として出されている。1928（昭和3）3月16日の通信は「スズメの構巣」と題されており「3月6日スズメの構巣を見る」とだけ書かれている。この葉書通信は、卓爾が亡くなる前年の1936年（昭和11）年3月9日「ウグヒスの初鳴　2月8日　平年に比し9日晩し昨年に比し9日晩」という報告が最後となっている。

葉書通信の中には、迷鳥の記録も見いだせる。

1933（昭和8）年2月9日
ナベコウの到来　2月4日石垣島字名蔵にナベコウ8羽到来す
ハイイロガンの到来　2月9日石垣島字名蔵にハイイロガン2羽到来す
1935（昭和10）年1月6日
ヒリカン鳥（注：ペリカンのこと）の目撃　1月2日　石垣島名蔵湾にて10数羽の一群を認め、翌3日何れかに飛翔し去りたり

生物季節に関する気象観測法では、「平生渡来セザル鳥類」が渡ってきたら記録して報するように

とあったから、ペリカンやハイイロガンのように、通常の渡りルートをはずれてやってきた迷鳥は、見逃せない観察対象だったろう。同様、チョウの中でも、種類によっては、台風などの風とともに、生息地から離れた場所で観察される場合がある。これを迷蝶とよぶが、この迷蝶もまた、卓爾にとってきわめて興味深い観察対象であった。

## 新種の名前

先に谷の『台風の島に生きる』に掲載されている、卓爾に関わる新種の虫の一覧を紹介した。この一覧にあげられた虫の名には、どうも誤りがありそうだということで調べてみた。その結果、卓爾の名前が付けられた虫の実態がはっきりした。この結果については、すでに拙著（『ゲッチョ昆虫記』）に書いたとおりなのだが、その後、本で紹介した虫の名称が変更されている例もあるので、本書でも、「卓爾の〝新種〟」についてあらためてまとめておきたい。

さて、「新種」というと、どういうイメージがあるだろうか。

僕の家の小４になる次男と話をしていたら「新種見つけたらお金もらえる？　新聞に載る？」というので笑ってしまった。また、僕が日頃接している学生は、教員養成課程の学生たちだから、子どもたちと関わることは大好きであるけれど、教科の中でとりわけ理科に詳しいというわけではない。その学生たちとやりとりをすると、「新種を見つけたら自分で好きなように名前をつけられる」と思っている学生が少なからずいる。一般的にも、そんな風に思っている人は少なくないだろう。

新種というのは、それまで学会に正式な形で記載、報告がなされたことがなかった種類のことだ。つまり新種として名付けられるものは、それ以前に学会に発表がなされていないもので、未記載種と呼ぶ。新種の発表に関しては、きちんとした学術雑誌などで、新種であることの証明として、その種の特徴や、従来知られている種類との相違などについて記述したのち、命名を行う（記載する）というルールがある（この時発表された論文を記載論文という）。例えば、未記載種を見つけたとしても、発見者が勝手に自分で名をつけるだけで、記載論文が発表されなければ、それは有効な名前とはみなされない。また、記載論文を発表したものの、のちにすでに誰かが発表している種類と同種であったとわかった場合は、あとから発表された名称は無効とされる。この無効となった名前のことはシノニムという。

卓爾は気象観測者であり、自身は昆虫研究者ではなかったから、卓爾自身が虫に名前をつけたことはない（ただ、著作の中で、〝自称〟といった形で、仮の名前をあげていることはある）。卓爾は島で見つけた虫で名前がわからなかったものは、昆虫の研究者に送って、名前を教えてもらうことにしていた。その送り先の一つが先に紹介した、岐阜の名和昆虫研究所だ。

また、卓爾は、北海道大学農学部の昆虫研究者、松村松年にも島で採集した昆虫標本を送り、同定（種名を明らかにすること）を依頼している。松村松年は卓爾より3歳年下の同年代。のちに自らを「世界一の昆虫学者」とまで称するが、それはさておき、日本の昆虫学黎明期に果たした役割は大きい。例えば松村は１９３１（昭和６）年に刀江書院から、日本産の昆虫６０００種を掲載した『日本昆虫大図鑑』という大冊も出版している（謝辞には標本提供者として卓爾の名も挙げられている）。
沖縄の島々は、もともとは大陸とつながっていた時代があるが、その後、海によって切り離され島となっていく過程で、孤立した生物たちが島固有の生き物へと分化していった歴史がある。また、卓爾が石垣島に渡った１８９８（明治31）年頃、八重山の島々の生き物は、ほとんど学界に報告されていなかった。そのため、生物季節観測の観測対象であったセミやホタルについても、石垣島で見られる種類については、まだ学術上のきちんとした名前（日本語の名前は和名、ラテン語でつけられた名前は学名という）もついていなかった。そこで卓爾はセミやホタルについては、北海道大学の松村に送った。送り出されたセミやホタルは、松村によって未記載種と認定され、あらたに新種記載論文が執筆され、卓爾にまつわる和名や学名が付けられた。

ホタルとセミの名

１９２０（大正９）年、卓爾が最初に著した単行本、『ひるぎの一葉』（『岩崎卓爾一巻全集』所収）には、卓爾が送り出した石垣島産のホタルとセミの、松村による同定結果が以下のように紹介されている。

＊（↓）は現在の名称

ヤエヤマヒメホタル　*Luciola yayeyamansis*（↓現在はヤエヤマヒメボタル）
ヒメホタル　*Luciola Iwasakii*（↓現在はキイロスジボタル）

イワサキホタル　*Phrococlia Iwasakii*（→現在はヤエヤマドボタル）
イワサキヒメハルゼミ　*Leptopsaltria Iwasakii*
ニイニイゼミ　*Platypleusa Kaemppferi*（→現在はヤエヤマニイニイ）
ツマグロゼミ　*Cicada apicalis*
リウキウクマゼミ　*Crypto tympana facialis*
ヒメクサゼミ　*Moganuia hebes*（→現在はイワサキクサゼミ）
イワサキゼミ　*Cosmopsaltria Iwasakii*
タイワンヒグラシ　*Pomponia fusca*

戦中に出版された生物季節に関する『日本の動物季節』(中原１９４２)という本の中には、具体的な生き物を取り上げて、その生物季節の地域による違いを説明している。その解説文の中でも、「沖縄の石垣島で見られるヒメボタルは、三月下旬に、またイワサキボタルは九月上旬に出現するやうである」とこの『ひるぎの一葉』で紹介されているホタルの名前を見ることができる。

しかし、これらの虫たちは、現在、和名や学名がずいぶんと変わっている。この当時、石垣島のニイニイゼミは本土のニイニイゼミと同種

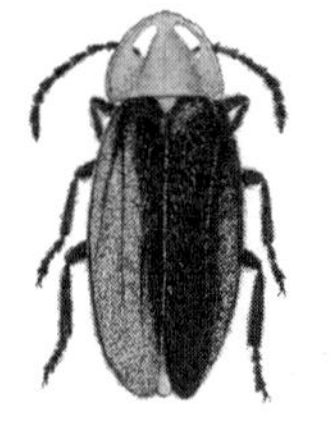

ヤエヤマママドボタル（16mm）

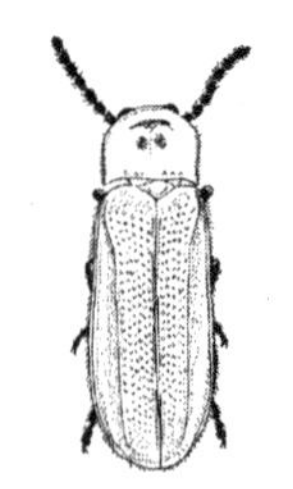

キイロスジボタル（6mm）

と思われていたわけだが、現在は石垣島産のものはヤエヤマニイニイという別種とされている。また「ひるぎの一葉」で台湾産のセミと同種のヒメクサゼミと同定された小型のセミは、その後、八重山固有のセミであるとして、イワサキクサゼミ（*Mogannia iwasakii*）と命名された。さらに現在は、学名は（*Mogannia minuta*）として扱われるようになり、和名にのみ、卓爾の名を残している（現在イワサキクサゼミは台湾〜沖縄島にかけて分布することがわかっている）。イワサキヒメハルゼミ（*Meimuna iwasakii*）とイワサキゼミ（*Euterprosia iwasakii*）は今もなお、その和名と学名双方で卓爾の名を伝えるセミたちだ。一方、『ヒルギの一葉』にあげられた3種のホタルのうち、ヒメホタルとイワサキホタルは分類学的再検討の結果、ここであげられた学名はシノニムとなり、和名も変更され、現在使われている和名、学名共に卓爾の名をとどめていない。

また、卓爾が日本で初めて採集した迷蝶にも、卓爾の名前を冠した和名がつけられる場合があった。この場合は、東南アジア産のチョウが石垣島で初めて見つかって、そのチョウに和名がつけられていないことがわかり、新たな和名が提唱されたというわけだ。この場合は、そのチョウの発見、記載（学名の命名）自体は、もっと古い時代に外国の研究者

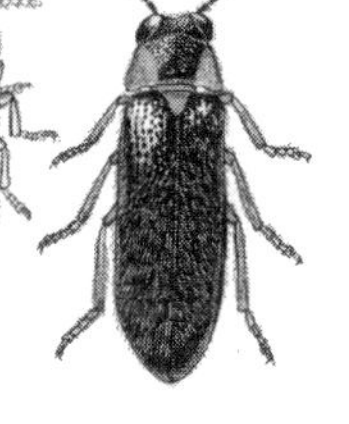


ヤエヤマヒメボタル

がおこなっているわけで、卓爾が新種を発見したわけではないことになる。

卓爾にまつわる「新種」を整理する上で、ややこしいのは、卓爾が発見したとされている「新種」には、新種ではなく、「新亜種」も含まれていることだ。

生き物の種類によって、地域ごとに亜種と呼ばれるグループとして分けられていることがある。例えばヒラタクワガタは、本土産のものはヒラタクワガタだが、沖縄島のものは、種類はヒラタクワガタだが、大あごの形などに違いもみられることから、オキナワヒラタクワガタという、別の亜種とされている。そして八重山産は、これとはまた別の亜種のヤエヤマヒラタクワガタとされている。卓爾が見つけた新亜種（例えば、種としては台湾や東南アジアからすでに記載がなされているが、石垣島産のものは亜種が異なると判定された場合）に卓爾の名前が付けられることがあり、先の谷の一覧表の中にはそれも混じっている。

やっかいなのは、「亜種の違い」という認識が時とともに変わることがあることだ。亜種の違いとされたものが、単なる個体変異とわかり、亜種が取り消される場合がある。また、種の違いなのか亜種の違いなのかという認識が揺れ動く場合もある。例えばイワサキカレハの場合がそれだ。イワサキカレハの幼虫は、昔から島でヤマンギと呼ばれ恐れられる毒毛虫だった。ヤマンギの正体を明かすべく、飼育観察の結果、このガの成虫が判明し、1917（大正6）年、名和昆虫研究所の研究員によって、ヤマンギの成虫はイワサキカレハという名前で新種記載された。しかしこのガはのちに、本土でみられるクヌギカレハの亜種とされ、イワサキカレハという名前は消滅する。ところが最近、あらためて研究がしなおされた結果、この両種は別種であるとするのが妥当であるとされ、先の記載が有効であるとし、イワサキカレハの名が復活したのだ。

なお、虫に名を残していても、その人が必ずしも、その虫の発見に関わっていたわけではない。記載者が何かの記念にある人の名前をその虫につけることは許されているからだ（例えば自分の奥さんの名前をつけるとか）。

ややこしい話で申し訳ない。

卓爾の「新種」を整理するにあたっては、ここで説明したことを踏まえる必要があるということだ。

### 卓爾の虫のその後

１８９８（明治31）年、29歳で石垣島に渡った卓爾は、翌１８９９（明治32）年以降、石垣島測候所長として台風観測の最前線に立ち続ける。

１９３２（昭和７）年、長年の勤務の功績により、卓爾は技師に昇任、石垣島から本土への勤務を命じられることになる。ところが卓爾は石垣島を離れることを拒み、中央気象台を依頼退職し、以後、嘱託として石垣島での気象観測に携わり続ける。そして、１９３７（昭和12）年５月18日に、卓爾は石垣島で68歳の一生を終える。

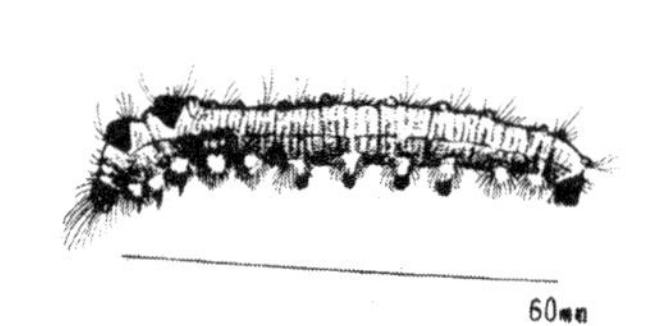


ヤマンギ（イワサキカレハ幼虫）

卓爾の次女、菊池南海子は『岩崎卓爾一巻全集』の中に「父・岩崎卓爾」という文章を寄せている。「辺幅を飾らず、一生和服で通した父。生まれた国の手形の仙台弁で押し通した父。そして自らを台風の〝防人〟と任じていたのか、辺境をうたった唐詩や、万葉の歌をとりわけ好んでいた父」は、「土地の古老の禁忌していた土地にわざわざ袋風荘という家をたてたが、それは「わけもわからぬ迷信や因習への最後の抵抗だった」のだろうと書いている。そして「島に一生を捧げるという初志を貫徹した心意気に私はうたれます」「父の法名は〝袋風院卓舟蝶仙居士〟といいますが、悔いのない生涯だったと思います」とも。

死の間際、妻である貴志子は仙台から卓爾の元へと駆け付け、卓爾の死後、遺骨は島を離れ卓爾の郷里に持ち帰られた。現在、卓爾の墓は仙台、泰心院にある。

卓爾の亡くなった3日後の『先島朝日新聞』に、「天文屋の御主前　岩崎翁逝去」という記事が掲載された。

「本邦気象界に於ける南方の重鎮たる中央気象台石垣島測候所に三十五年、大空の〝ヤクザ者〟の台風と睨みっこして昭和7年に勇退した〝天文家のウシュマイ（叔父さん）〟岩崎卓爾翁は遂に60平方米の〝袋風荘〟で去る十八日、六十九歳で眠るが如く大往生を遂げた」

「〝風の宿主人〟〝糸数原住人〟〝金なき片眼の岩窟王〟〝国産ガンヂー〟の類多きニックネームを冠されて学会の一偉才として敬慕され」、役職として「八重山図書館長」「八重山幼稚園副園長」「先島朝日新聞社主」なども勤めていたと紹介されている。

また、「輝く功績」として、八重山の神話伝説、言語、民謡、地理、歴史の紹介を行ったと書かれており、続き、卓爾にまつわる生き物の名も紹介されている。

「イワサキコノハチョウ、イワサキシロアリ、イワサキホタル、イワサキセミ、ベニヒラタムシ、（イワサキ）ドククモ、イワサキハゼ、ヤニフケン」

ただし、ここであげられている生き物の名が、本当に卓爾の功績を顕すのに適したものかというのは考えてみる必要がある。例えば、このうち、ベニヒラタムシ、イワサキハゼ、ヤニフケンは谷の一覧に出てこなかった生き物の名前だ。イワサキハゼについては後述する。ベニヒラタムシという虫は存在するけれど、これは本土産の虫であるから、卓爾とは関係がないものだ。なぜここにその名があがっているのか謎だ。ヤニフケンに至っては生き物の名前かどうかも判定できない謎の名前である。一般の人にとっては、イワサキコノハチョウもヤニフケンにしても、なじみのない名前ということでいえば同じ程度で、気にならないのかもしれないが。こうしてみると、かなりいい加減に名前を列挙していることになる。

では、卓爾の名前を今に残す生き物を以下にまとめてみることにしよう。

新種記載がなされ、和名に卓爾の名前を今に残す生き物

イワサキゼミ

イワサキクサゼミ

イワサキヒメハルゼミ
イワサキカメムシ
イワサキヘリカメムシ
イワサキキンスジカミキリ
イワサキカレハ
イワサキワモンベニヘビ
イワサキセダカヘビ

日本で初めて見つかった生き物（新分布発見）で、和名に卓爾の名前を今に残すもの
イワサキコノハ
イワサキタテハモドキ
（＊卓爾が見つけたものは新亜種として記載された）
イワサキシロチョウ
イワサキオオトゲカメムシ

谷の一覧表にある、そのほかの生き物（いずれも〝新種〟ではなかっ

イワサキセダカヘビ

イワサキカレハ

たもの）についても一通りあげておこう。

チョウ類のシロオビマダラ、タイワンクロボシ、シロオビヒカゲの3種は、いずれも八重山での新分布発見の記録である。前二者は迷蝶だ。シロオビヒカゲの場合は、従来台湾でしか知られていなかったものを、西表島にも生息していることを見つけ、発見当初は新亜種として記載されたが、現在その亜種名はシノニムとなっている。

ヒメホタル（本土に生息するヒメボタルとは別種）は新種記載されてのち、後年イワサキスジボタルと改名された。しかしやはり新種記載されたイワサキホタルとともに、後年シノニムとわかり、現在、それらの学名、および和名は使われていない。イワサキスジボタルは現在キイロスジボタル、イワサキホタルはヤエヤママドボタルと呼ばれている。なお『ひるぎの一葉』には、このほかにヤエヤマヒメボタルという種類が紹介されている。先のヒメホタルと紛らわしいが、現在もこのヤエヤマヒメボタルという名前は有効名として使用されている。また、『先島朝日新聞』の生物季節観測の項目や、『日本の動物季節』の中に出てくる三月に発生するヒメボタルというのは、このヤエヤマヒメボタルのことだと思われる。

イワサキコノハ

イワサキタテハモドキ

イワサキモンキゴミムシダマシは、現在キイロモンキゴミムシダマシと呼ばれる虫だ。発見の経緯はわからないが、これも命名されたものの、シノニムと分かり、名前が変更された例だろう。

イワサキシロアリはおそらく正式には命名されなかった仮称だと思われる。卓爾はシロアリもせっせと採集し名和昆虫研究所に送り付け、結果、石垣島からのシロアリ類の新分布は何種も明らかにしているが、シロアリの新種は見つけていない。谷の一覧に載っている、イワサキドクグモやイワサキハエトリグモという名も、正式に記載されたものではなく、仮称のようなものだったと思われる。

このほかにもイワサキホウジャク、イワサキツヤコメツキ、イワサキホソコメツキといった虫やイワサキハゼといった魚にも卓爾の名がつけられたが、シノニムとわかり、それらの和名は現在、使用されていない。イワサキホウジャクは松村の『日本昆虫大図鑑』に図示されており、「石垣島にて発見せられたるが、稀なるが如し」とあるが、何のシノニムであったのか、僕にはまだ解明できていない。イワサキハゼは、現在はジャノメハゼという和名で呼ばれている。

こうして整理すると、卓爾によって見つけられた「新種」の数は、谷のリストであげられているものよりもずいぶんと減ってしまうけれど、それでも明治から昭和初期にかけて、八重山の虫をはじめとする生き物たちの解明に卓爾が果たした役割は決して小さくはなかったということは変わらない。

コノハチョウ
ヤエヤマトガリナナフシ
イワサキカレハ幼虫
イワサキキンスジ
カミキリ
イワサキクサゼミ
石垣島の森

# 第2章　ツトムの虫

マサキツトム（長男の学と共に）

ツトムの履歴書

少年時代のツトムがチョウを採ってもっていき、かわいがられたという「岩崎さん」がどんな人だったか、少しわかったところで、ツトム自身のことに話を進めたい。

ツトムが生まれたのは、1907（明治40）年、卓爾が40歳の時のことだ。

マサキさんの家には、ツトム自身の手になる履歴書が残されている。読むと、21歳で測候所に採用されるまで、かなり苦難・苦学を体験していることがわかる。何より何度も病気になったり感電したりしているし、「ルンペンとなる」という一文もひときわ目を引く。

〈履歴書〉

**士族・石垣信丈**　四男石垣信全（＊ただし、実質的には三男であったため、三郎と呼ばれた）

明治40年11月18日生

大正3年　登野城尋常小学校ニ入学ス

（＊1年の担任は音楽家として知られる宮良長包であると記載されている）。

大正11年3月23日　登野城尋常小学校高等科卒。

4月　卒業後稼業ニ従事ス。山城屋ニ店員トシテ採用サレシモ一ヵ月目給料ヲ渡サザル為メ無断ニテ退店ス。家業ニ従事ス。蝶類ナド昆虫類採集ス。石垣島測候所長岩崎卓爾先生ニ真面目、正直ノ点認メラル。

8月　従兄宮良長詳九州帝国大学医学部卒ヘテ石垣ニテ開業ト同時ニ薬局生トナル　無給ナリ。

大正14年（17歳）

1月13日　宮良長祥ニ許可ヲ得ル　上京シ苦学シテ電気学校ニ入ル目的ナリ

2月4日　八重山丸ニテ故里ヲ発ツ　上京第一歩

2月13日　東京駅着

2月14日　磯医院ニ薬局生トシテ採用

2月21日　磯医院神経衰弱ノタメ退職ス　ルンペントナル

3月2日　秋山鱗医院ニ薬局生トシテ採用

4月10日　神田区ニアル財団法人「電気学校」夜間部ニ入学ス

5月24日　脚気ヲ罹フ

7月　秋山鱗医院ヲ退院ス

同医院ヲ退院後「ルンペン」トナル　薬品ノ行商ヲシテ苦シム。其当時○君ヤ、○君等、僕ニ向カッテ冷笑シタ其後、又職ヲ変ジ労働者トナル　長イ間ノ労働者ノ生活　話ニナラズ

9月11日　逓信省電気試験所ニ採用　雇工見習

11月　　雇工命ス　日給90銭
大正15年　5月26日　感電シテ入院ス　5月31日ニ退院
昭和2年（19歳）
4月16日　電気学校ヲ卒業ス
3月18日　逓信省電気試験所　技工ヲ命ス
5月2日　下関行急行ニテ錦ヲ着テ帰省ス
5月8日　八重山着ス　病気ノ為　二日間休ム
5月13日　八重山電灯会社ニ入社ス
5月26日　病気ノ為退社（＊病気は肺結核）
昭和4年（21歳）
2月28日　中央気象台に入所

マサキさんは、こうしたツトムの履歴を端的に次のように僕に語ってくれた。

「小学校を卒業して、農業をしたり、炭焼きをしているうちに、親戚に宮良医院があって、医院長は九大の医学部を出て病院を開いたんだが、そこの薬局で働くことになったわけ。そのあと、東京へ出て行って電気学校に入ったんだよ。そこを出て、帰ってきたんだけど、今度は肺を悪くしたんだよ。八重山に電気会社が設立されて発電所ができたんで、電気関係だからとそこに就職したわけさ。で、無理をして肺を悪くした。病院の薬局で働きながら療養して。そのとき、医者に野原へ出ろといわれて、野原に出たついでに虫を採集して、測候所の岩崎さんのとこへ持っていってね。そうしたことから、療養が終わって、今度は測候所に入ったんだな。測候所は郵便局を通じて無線で連絡をしていたんだけどね、独自の無線を設置することになって、するとエンジンが必要になるだろ。で、父が〝シャブロー、それ、やれ〟と言われて。そのうち、人が足りなくなって、観測もやるようになって、やがて観測専門になったんだな」

マサキさんは、ツトムが石垣信全から改名したのも、卓爾の影響だったのではないかと考えている。

「親父が石垣信全から、どうして名を変えたかと思うんだよ。最近思ったのは、もし石垣という苗字のままだったら、新種を発見しても、イシガキなんとかになっちゃうでしょ。それではまずいと思ったんじゃないかなあ」

ただし、シゲさんによれば、改名したのは「隣近所に同姓同名のしかも同級生がいるから、間違われてしまうと。それで、正木に代えたんです。どこからそんな名前を探してきたのか、知りません。結婚する前には、正木に変わっていました」と、マサキさんが考えるのとは別の理由があったのではないかという。実際、どちらであったのかはわからない。ただし、結婚後、ツトムは生き物に名を残すことになるので、もし石垣姓のままだったら、その生き物が石垣島産で名前がつけられたのか、ツトムにちなんで名前をつけられたのかはわかりにくくなったことは確かだろう。

現在、ツトムの名が和名につけられている生き物の名は以下の各種だ。

マサキウラナミジャノメ（八重山固有のチョウ）
マサキルリモントンボ（台湾で記載されたイトトンボの種類の石垣。西表島固有亜種）
マサキルリマダラ（東南アジアに分布し、石垣島で初めて見つかった迷蝶）
マサキオオツバメガ（東南アジアに分布し、石垣島で初めて見つかった遇産蛾）
マサキベッコウ（尖閣諸島と西表島に固有のカタツムリ）
マサキカニダマシ（海岸動物のカニダマシの仲間）

マサキルリモントンボ

マサキルリマダラ

マサキオオツバメガ

## 卓爾の右腕・瀬名波長宣

　測候所に入所する前のツトムは、どちらかというと苦労の多い道のりだったことが履歴書からは垣間見られる。が、一転、測候所に入所してからは、ツトムは徐々に頭角を現し、特に生き物方面での活躍が知られていくようになる。

　ツトムより以前に、測候所には地元出身の瀬名波長宣が入所し、観測業務だけでなく、生物採集においても卓爾の右腕として活躍していた。そこにツトムが加わり、卓爾の活動はさらに補強される。

　ここで長宣のことについても少しふれておこう。長宣は１８８８（明治21）年生まれ。ツトムより19歳年上である。長宣のことは、石垣在住で、孫にあたる瀬名波長宏さんからお話をうかがった。

「うちの祖父は普通なら大学へ行っていたと思う。でも、那覇に出た祖父の兄が死んでしまったんです。それで家を継ぐ必要がでて、島にとどまらざるを得なくなって、16歳で測候所に入りました。祖父は20歳になる前からタバコを吸っていましたよ。隠れて吸っていたら、岩崎さんがきて、驚いてタバコの煙を衣服の中に吹き込んでごまかそうとしたら、服からケムリがでてきて〝おい〟と、怒られたなんて言っていました」

　長宏さんによれば、長宣は87歳で亡くなるまでタバコはやめなかったという。また毎日晩酌も欠かさなかったとのこと。

「祖父は、測候所に48年間勤務していて、これは日本の最長記録なんだそうです。誰がそう言ったかというと、作家の新田次郎さん。彼が講演したとき、祖父のことを、日本の気象台勤務における最長不倒記録と紹介したんです」

新田次郎は元、気象庁観測部測器課長で、『芙蓉の人』『強力伝』など、気象や山岳などをテーマにした作品を多く執筆した作家だ。

「祖父は厳格な人ではありましたね。僕の父は沖縄戦で亡くなりました。それで祖父に育てられたんですが、僕に運動をさせない、鉄棒をさせない、水泳をさせない。死んだらどうするかというわけです。それでも運動が好きだったから、隠れてやりました。ところがわかるんですよ。泳ぎに行ってませんというと、手をつかまえてすぐに舐める。海で泳ぐと体に塩が残っているから、それでばれてしまう。当時はシャワーなんてないですから。よく怒られました。怒ったあげく、祖父が最後はなんて言ったかというと、〝運動には博士はいない〟と言ったんですよ」

長宣は家庭の事情で高等教育を受けることはできなかったが、人一倍勉強熱心であった。

「発明は難しいけれど発見は場合によっては可能かもしれないと、祖父はいっていました。祖父は虫捕りもしていたし、鳥のはく製を作って内地の研究者とかに送っていましたね。そうしたことは岩崎さんあってのことなんでしょうね。測候所が非番のときは、海へ行くか山へ行くか。そうした観察眼を養ったのは岩崎さんの影響が大きかったでしょう。毒のあるヤマンギなんかも飼ったりしていました。ひいばあちゃんなどは悲鳴をあげていましたね。貝も集めていて、まだ、その標本はいっぱい残っています。貝の標本は、屋敷の周囲に埋め込んで肉を腐らせて作っていましたから、臭気が漂って……。僕は鳥のはく製の作り方は、小学生のときに祖父からならいました。気象台は郵便物が多かったでしょう。それで祖父は切手の収集もやっていました。おまえもひとつぐらいやったらどうかといわれて、マッチのレッテル集めをやって、これは結構持っています。集め方も祖父から伝授されました。祖父の時代、石垣島の文化の中心は測候所だったんです。うちの祖父はいろんな書物を東京から取り寄せていて。僕も小学校3～5年、友達に、うちで本を読ましていって得意になっていましたもの。なにかというと測候所に遊びに行って、無線室でラジオを聴いたり」

長宏さんによれば、長宣が尊敬していたのは、植物学者の牧野富太郎であったという。学歴がない牧野が実力で植物学者として身を立てたことが、自身の履歴と重なるところがあったのだろうとのこと。

長宣は戦後まで気象業務に関わり、戦後すぐには気象台（戦後しばらくは、石垣島測候所は名称があれこれ変わった。現在は石垣島地方気象台）の台長も務めている。ここで、石垣島測候所の歴代の所長、台長に関して列記しておく（本書に登場する人物にはラインを引く）。

**○石垣島測候所所長**

（主任）石田三之　1896（明治29）年12月5日～
　　　　石田三之　1898（明治31）年7月21日～同年11月4日
（心得）岩崎卓爾　1898（明治31）年12月5日～1899（明治32）年4月29日
（心得）南部実現　1899（明治32）年6月1日～同年9月18日

岩崎卓爾　１８９９（明治32）年９月18日～１９３２（昭和７）年２月８日
平安名盛忠　１９３２（昭和７）年２月８日～
喜多豊一　１９３９（昭和14）年11月１日～
（心得）大和順一　１９４１（昭和16）年５月21日～
大和順市　１９４１（昭和16）年７月10日～
（心得）瀬名波長宣　１９４６（昭和21）年１月12日～

○八重山気象台長
瀬名波長宣　１９４６（昭和21）年１月15日～
（取扱）比嘉政男　１９４６（昭和21）年４月19日～
（取扱）森重薫　１９４６（昭和21）年12月16日～
比嘉政男　１９４７（昭和22）年７月７日～１９５３（昭和28）年10月15日
城間宏周　１９５３（昭和28）年10月15日～
北村伸治　１９５９（昭和34）年２月20日～

＊以下略　（『沖縄気象台百年史』より）

小学2年生のときにツトムと死に別れているマサキさんも、長宣の記憶はしっかりと残っているという。

「瀬名波のじいさんにも僕はかわいがられたよ。瀬名波のじいさん、いつも黒いたびをはいて、水色の着物を上にきて、さっそうとしていたよ。瀬名波さんは高等小学校しか出てないでしょう。でも、英語を岩崎さんから習っているんだよ。当時の観測、気象用語に日本の言葉がなかったから。気象観測の野帳、原簿はみな英語だったんだ。それで、英語を岩崎さんから教わって。だからあのじいさん、英語を読めたんだよ」

長宣にとって、測候所は職場であったが、一種の学校でもあった。

「瀬名波さんによると、岩崎さんは厳しくて大変だったとも言っていたよ。明治のころは岩崎・瀬名波のほか、三名の職員で観測に当たってたんだよ。それで、瀬名波さん、夜中の観測をしたら翌日は休みのはずが、昆虫採集にでかけたり、あちこちで古文書を調べたりという〝仕事〟がまわってくると言うわけ」

戦後、石垣島の気象台の台長を勤めた北村伸治さんからも、2001年に次のようなお話をうかがった。

「僕は定年してもう20年になるね。僕は中学までは宮古島。台湾の高校を受験して落第して。荷馬車に載ってタバコの配給をしていたんだけど、10か月して、測候所に空きがあるよといわれて専売公社をやめて測候所に入った。それから2年して養成所に入ったよ。戦時中のこと。戦後に沖縄に戻ったんだ。

岩崎さんは、そうとうワンマンだったらしいね。その頃一日3回の観測だったのを24時間観測にさせた。それで職員は全部で5名かな。でも一日24回の観測なわけだから庶務の人も当番をいれただろうな。その当時は那覇の一中、今の首里中を卒業した連中があこがれて測候所に入所するけれど、仕事がきつくてやめるわけさ。瀬名波のじいさん、ちょっともらしたんだ。〝大変だった〟って。大変な勤務だったと思うよ。午前中、夜勤明けで寝ていると、午後、ヘビ捕ってこい、虫捕ってこいと使うでしょう。たいていの人は辞めてしまうよ。瀬名波のじいさんだけ小学校卒だから、やめても仕事がないからと辛抱した。むちゃくちゃな仕事量だったはずだよ。今時そんな所長がいたらすぐ首だな。ただ、瀬名波さんは、そうしたことあまり言わなかった。悪口になるからね。岩崎さんは、お世話になった人だからね」

ツトムは、そうした激烈な職場に入所したことになる。

ツトムの記憶

戦前、石垣島測候所には、長宣やツトムのほかに、石垣の郷土史家として名高い喜舎場永珣の長男、喜舎場浩も入所する。マサキさんは、高校卒業後、ツトムの後を継ぐようにして気象観測業務に就くことになるのだが、マサキさんが測候所に入所したばかりのときは、まだ喜舎場浩は測候所に在職中だった。

「岩崎さんは、喜舎場さんには歴史を掘り下げろと、瀬名波さんにはこれ、うちの親父にはこれと、調べるものを割り当てて。喜舎場さんはうちの親父と同世代の人だよ。それで喜舎場さんから岩崎さんのことをいろいろ聞いたんだ。喜舎場さんは、〝岩崎さんは教育者だった〟と言ってたよ。例えば最近は合理化でほとんど削られてしまったが、観測事項のひとつに生物季節観測というのがある。これを岩崎さんに教育されたときの話を喜舎場さんがしてくれたんだ。〝喜舎場君、もうそろそろ、サクラの開花の季節だ〟と岩崎さんが言うんだ。〝サクラの開花の標準木となっている桃林寺のサクラを見てきたまえ」と。それで喜舎場さんが自転車に乗って吹っ飛んで見に行くわけ。はい、咲いていました。二分咲き開花でよろしいと思います〟と報告すると、〝ああそう〟と岩崎さんが言ったと言うんだね。それで、〝何個咲いていたの？　南、西、東、北のどの枝にどのくらい咲いていたの？〟と聞いてくるというんだよ。それで全く答えられないでいると、〝だめだから、もう一度見てきなさい〟と言われたって言うんだ。〝詳しく見ないと、気象観測とはいえない〟と言ったそうだよ。本当は、僕は自分の親父から、こうした話を聞きたかったね」

幼いころにツトムと死に分かれているマサキさんに代わり、ツトムの人柄を僕に語ってくれたのは、石垣島生まれで、やはり気象業務に携わることとなった、宮良孫好さん（先に卓爾の記憶についても語ってくれている）だ。

「測候所には、僕より一回り年上の、正木任さんがいました。その上が瀬名波さんです。瀬名波さんは、岩崎さんからかなりかわいがられた人でした。ただし、岩崎所長は、かなり強制的な人でした。明け番の日も、どこにいたのかと言われたらしいです。もし当時、組合があったら、岩崎さん、労務管理違反でやられていますよ」

卓爾の元では、通常の観測業務以外の測候所での「仕事」が存在していたというのは、孫好さんも証言するところだ。

「気象台には喜舎場永珣の息子さんの浩さんもいましたが、この人は唄や三線、スポーツが好きで、調査なんかにはあまり興味をもっていなかったんじゃないかな。瀬名波さんは、黄砂を採集するのに、特別な観測機器は使わずに、フクギの葉っぱについた黄砂を筆で集めて分析したそうです。この話は瀬名波さんから直々に聞きました。こういう発想は素晴らしいと思いますね。僕が知っている頃は、瀬名波さんはご年配になっていたから、正木さんが主に、ひまがあったら、あちこちの調査をしていました。離島いったり、海にいったり。岩崎所長の時代では、瀬名波さん、正木さんの裏方としての功績がかなり大きいと思います。一般の人は、岩崎さんは知っていても、この二人の功績はご存じないでしょう。正木さんは、私もよく覚えています。ロイドのメガネをかけて、ほがらかな人でした。努力家でしたね」

シゲさんからも、ツトムの思い出をうかがった。

「夜もカンテラつけて、虫の採集にいったりね。はく製とかも作っていましたよ。カメのはく製を作って、知り合いにあげたり。最初は自転車に乗っていましたが、八重山で初めてオートバイを買ったのも主人です。いつも、いそがしい人でした。食べ物の好き嫌いとかはありませんでした。お酒も飲まなかったし。お付き合い程度に飲むことはありましたが、酔っ払うということはありませんでした」

こうした人々の記憶とは別に、卓爾の晩年、九州大学の動物学教室・昆虫学教室の研究者たちが石垣島へ動物調査に訪れるようになってから、ツトムは生物学に関連する記録の中にその名を現すようになる。

## 八重山生物調査団

卓爾が来島したころは、本土の人々にとって認識外の地であった石垣島も、時代が進むにつれ、徐々に人々に認知されていくようになった。それには卓爾による、島の歴史、文化、自然に関する情報発信も大きくかかわっている。そして石垣島の認知度が上がるにつれ、島々を訪れる研究者の姿も増えていく。また、その中には、卓爾を目当てに来島する人々もいた。

１９２０（大正9）年10月25日の『先島新聞』には、「岩崎蝶翁と気象と万般の事との関係」という文が掲載されている。この中で、卓爾が気象業務に長年携わってきていることに加え、昆虫や植物、言語、風習、歴史などの研究を卓爾が行ってきたことを紹介し、次のように書いている。

「だから博士連や本省派遣の技師が来島するときは、第一翁の門を叩いて教えを乞ふ、さうすれば遺憾なく要領を得る、又親切に能く世話をする、到底現代的凡人の及ぶ所ではない。で、東京辺りに迄も其名が売れてい、来島した特殊の要件を帯びた者で翁の世話にならぬ者は一人もないと言って可いのだ」

１９２０（大正9）年には柳田国男が来島する。そうした一般にも著名である人物の他にも、例えば1926（大正15）年には、当時台北高校生だった鹿野忠雄が来島している。鹿野はのちに台湾の山行記録や先住民の調査などを題材とした『山と雲と蕃人と』を出版する生物学者・人類学者である。鹿野はまた、のちに卓爾にちなむ虫の一つ、イワサキキンスジカミキリを記載してもいる。

このほかにも、多くの人たちが石垣を訪れ、それらの人々はまた、目的はどうあれ、卓爾の元に顔をだした。

正木家に残されたツトムの手になるノートにも、以下のようにこの時期、島を訪れた人々の名が記されている。このうち、梅野は、のちにマサキウラナミジャノメのタイプ標本となるチョウを採集している昆虫研究家だ。

1929（昭和4）年　植木修二　昆虫採集2週間
1931（昭和6）年　青木廉次郎　東北大　地・古生物　2週間
　　　　　　　　　半澤正四郎　東北大　約1か月
1932（昭和7）年　梅野明　昆虫研究　1週間
1933（昭和8）年　萩谷彬　陸貝研究
　　　　　　　　　崎村千城　昆虫貝ガラ虫研究

大島広の来島

1932（昭和7）年10月下旬、九州大学の農学部の教授で、海洋生物、特にナマコを専門とする大島広が一週間滞在の予定で石垣島を訪れた。

大島の履歴について触れておこう。大島は1885（明治18）年、大分の中学の博物教師をしている父親の元に生まれた。その後、父親の転勤により、宮城県で、小学校から高校まで過ごす（仙台出身の卓爾はこのため、大島に親しみを感じたようだ）。また、幼稚園から尋常小学校1年の頃は博物の教員をしていた父親の助手となって、昆虫採集と標本制作に熱中した少年時代を送ったという。そんな大島が、子ども時代に愛読したのは、動物学者の飯島勲が書いた『動物実験初歩』という専門的な本と、『虫の世界』という絵入りの童話だった。ところが、中学生になると、大島は一転、海軍にあこがれるようになり、江田島にあった海軍兵学校への進学を目指すようになる。しかし、大島は色覚障害があったため、自ら、その夢を断念。高校に入学後は、生き物好きの同級生の影響から、再び生き物への興味がよみがえり、海軍熱によって生まれた海への情熱とあわさって、海洋生物の研究への道を歩むことになったと回想している（大島　1956）。大島は東京大学に入学後、東大の第三代目にして初の日本人の動物学教授・箕作佳吉（ミツクリザメに、その名を残している）が手掛け、生前にまとめることができなかったナマコの研究を引き継ぎ、第五高等学校教授を経て、1922（大正11）年から九州大学・農学部動物学教室の教授になった（磯野　1988）。

1932（昭和7）年に大島が石垣島を訪れたのは、台北で開かれた動物学会に参加した戻りに、せっかくだからと往路と別のルートとして、八重山と宮古の島々を訪れながら九州へと戻る旅程の中でのことだった。しかし、この時、ちょうど折あしく卓爾は仙台への帰省中だった。「岩崎卓爾氏の名は南島の生物に関心を有つ種の人々の間には古くから馴染深いものである」と書いている大島は、卓爾の不在を大変、残念がるのだが、幸い、「若い所員の正木任氏」に引き合わされる。「この正木氏が昨日久留米の梅野明氏から受取った手紙で、私がこの地に来る筈だと云ふことを知ったとの事」とある。なお、梅野は先に少しふれたように1932（昭和7）年に自身も石垣島を訪れている、1933（昭和8）年、私設の梅野昆虫研究所を設立、運営するようになる在野の昆虫研究家である。大島は、石垣島に到着以後、海に生き物を探しに行ったり、ツトムの案内で山にコノハチョウを採集にでかけたりしている（あいにく曇りで、風もあり、気温も低かったため採集はできなかった）。石垣には九大出身で医院をひらいている宮良長祥（ツトムの履歴書に登場する医院の医院長）がいたが、彼は1914（大正3）年、大島が最初に講義をした折の学生だったため、互いに旧交を温めた。この大島の記録によれば、当時ツトムはツマベニチョウの飼育なども手掛けていたようだ。また、ツトムからは、1907（明治40）年に石垣島の崎枝で捕獲されたジュゴンの写真ももらい受けている。

このときに初めて出会ったツトムのことを、後年、大島は「岩崎卓爾翁と正木任君」（大島1947）という文章の中で次のように書いている。

「測候所からは正木任君と云ふ若い所員が私の旅宿を訪ねて来られ、私の短い帯島中にあちこち見学の東道役を勤めて下された。付き合ひを重ねてゆくうちに、この正木君の、世にも珍しい才能をもった人である事を知るやうになった。（中略）何分にも口八丁手八丁、所謂八宗兼学の岩崎さんのお仕込を受ける正木青年が、これ亦頭が良くからだは頑健、何事にも忠実でまめな活動家と来てゐるのだから、ここに岩崎さんの、素晴らしい出藍の誉を示す立派な後継者が出来たことは何の不思議もない次第である」

大島は、この時は十分な生物調査もできなかったが、八重山の自然は大島をひきつけ、翌1933（昭和8）年および、さらにその翌年の1934（昭和9）年そして1937（昭和12）年の早春と、続けて石垣を訪れることになる。

この数度の八重山行のことを、大島はのちに「愉快な思い出のかずかずが今も脳裡に浮かび上がってくる。主としてサンゴ礁の間に住む動物を採集したり、その生態を観察したりしたのだが、それまでアルコール漬けや乾燥標本でだけ見ていたウミバコ、コブヒトデ、パイプウニなどの鮮麗な色彩の生きたものや、長さ1メートルにも達するヘビのようなオオイカリナマコが礁間にうずくまっているのなどを、初めてまのあたり見ることが出来た。動物学を専攻する者として、よそでは得ることの出来ない体験を思う存分満喫したのである」（大島　1962）と、言い表している。

このうち1933（昭和8）年及び1934（昭和9）年の調査の様子は、石垣島の地方紙である『先島朝日新聞』にその様子が詳しく報道されたほか、大島自身も、全6回にわたり、雑誌の『植物及動物』紙上にその記録を掲載している（大島　1935）。また1934（昭和9）年の調査には、九州大学の昆虫学者、江崎悌三も参加しており、江崎もこの時の様子を「八重山諸島昆虫採集記」や「八重山遊記」に書き記している（江崎　１９８４）。

地元紙に連日の大島らの調査を記事にしたのは、登野城小学校の教員をしている、玻座眞忠直であった。玻座眞は、１９３４（昭和９）年6月28日の『先島朝日新聞』に、「生物分布上より見たる八重山」と題した文章を寄せていることから、生物にかなり興味や知識を持っていた人物であるらしい。そうした点でいえば、大島ら一行の調査の取材記者として、彼は適任者だといえるだろう。なお、玻座眞の書いた先の文章の中には、卓爾や卓爾の名を持つ虫を紹介しているだけでなく、ツトムのことを「少壮採集家」で「稀にみる熱心な自然愛好家」であるとも紹介している。

玻座眞が大島らの調査についての記事につけた題名は、１９３３（昭和８）年のときのものが、「郷土の再認識　大島博士採集調査案内記」であり、１９３４（昭和９）年のときのものが、「郷土の躍進大島江崎両博士一行採集調査の話」である。この記事を今、目にすると、生物調査の一団が来島したことが連日のように新聞紙面を大きく飾ったことに、ちょっと驚きを感じてしまう。しかし、卓爾が初めて島を訪れた際のエピソード…「定期船の運行会社でさえ、八重山と石垣が同じ場所を指すこともわからなかった」…を思い返せば、帝国大学の研究者の一団がわざわざ調査のために来島したことは、当時の島人にとっては大きな喜びだったのだろう。

玻座眞の書いた記事や、大島の記録から、目に付いたところをぬいてみる。

大島は海産無脊椎動物のうち、棘皮動物（ウニ、ナマコ、ヒトデ類）の専門家であったから、八重山の珊瑚礁ではそれらの生き物を探して回った。例えば、１９３３（昭和８）年のある日の調査では、船を出してサンゴ礁の生き物調査におもむくが、この日、同行した地元の黒島直信という海の達人が、海に潜って様々な生き物を採集してきた様子が紹介されている。中でも大島を喜ばせたのは、その分布を確信していたが、コブヒトデの実物を得られたことだった。

１９３３（昭和８）年の調査の折には、甲殻類に興味を持つ、九州大学の動物学教室の学生、三宅貞祥も参加していたのだが、河口部にマングローブ林の発達している宮良川調査では、三宅はさっそくマングローブ林に生息するシオマネキなどのカニ類の採集に、断然腕をふるったということを玻座眞は記している。

大島は生物調査だけでなく、生物に関わる島の民俗にも興味をもっていた。特に島の民謡の歌詞の中に、海の生き物が読み込まれていることに強い興味を持った。例えば西表島の古見には、方言でヤクジャーマと呼ばれるカニが登場する、「ヤクジャーマ節」という歌が伝わっている。マングローブ林に棲むヤクジャーマを主人公に見立てた歌なのだが、このヤクジャーマが、何というカニのことを指すのか、郷土史家の喜舎場永珣もわからず、手を焼いているところだと話したことが、１９３３（昭和８）年の調査を報じる新聞記事には書かれている。また、石垣島には、アンパルと呼ばれる干潟を舞台とし、ミダガーマというカニの生まれ年の祝いに、多くのカニ類が集まってきて宴会をする様を歌い込んだ、「アンパルぬミダガーマユンタ」という歌が伝わっている。ここに歌われるカニたちの正体さがしに、大島は強い興味をひかれたのだけれど、その際、歌自体も修得したいと、喜舎場に習って半時間ほど練習したことも新聞記事には書かれている。記者である玻座眞が驚かされたのは、大島が2、3回の練習のあと、すぐにノートに譜面を書いて、その後は一人で譜面を見ながら、立派に歌えていたことだった。その後も時折、大島が標本整理のあいまに口笛や小声でこの歌を歌っているのを玻座眞は目にしている。クリスチャンであった大島は音楽を専門に学んだことはなかったが、賛美歌を歌う際に音符を研究したことがあり、そのため、採譜ができたのだ。大島は、大学に戻ったら、この歌を学生にも伝授しようと思うということも、喜舎場に語っている。

なお今となっては珍しいエピソードとして、ジュゴンの皮を食べる機会があったということが、大島の報告（大島　1935）に、次のように書かれている。

「黒岩氏が〝此物の乾物（皮）を販売す一斤の値十二銭なり〟と記して居られるものは私達も一度御馳走になりなほ瀬名波長宣氏から一塊の標本を贈られた。黒褐色半透明で鰹節よりも硬いが、食べるにはこれを削って熱湯をかけるのであったと記憶する。妊婦が用ひて効があると云ふ」

江崎梯三の来島

翌、1934（昭和9）年の調査には、昆虫を専門とする江崎梯三が参加した。

江崎梯三は1899（明治32）年に東京で生まれ、1907（明治40）年生まれのツトムより8歳年長である。

江崎の人となりは、彼の死後に編まれた『江崎梯三著作集』（全三巻）のうちの第一巻で、水棲昆虫を専門とする昆虫学者で、動物学史にも詳しい上野益三が江崎のことを紹介している文章を引くこととしよう。

「江崎梯三（Teiso Esaki, 1899-1957）は、現代日本における類いまれな昆虫学者であり、動物分類学者であった。昆虫学者としての江崎の名声は海外にも遍く、動物学者としても国内国外に多くの友人があり、豊かな国際的感覚の持主であった。動物分類学の理論と方法、とくに動物命名法の該博な知識は、世界でも数少ないその道の学者の一人であった。

江崎はその没年まで二十七年間、九州帝国大学（九州大学）の教授であった。

昆虫分類学における江崎の専門は、半翅類、とくに水棲の異翅亜目であって、淡水産はもとより海産に及び、後者については世界でも数少ない専門家であった。少年時代から最も愛し好んだ蝶は、終生その研究の対象となった。

江崎の活動はすべてにわたって超人的であった。なかでもそのおびただしい各種の著作は、いつそのような時間があったのかと、感嘆させられる」

上野の紹介文によれば、江崎は中学生時代から昆虫採集に熱中し、中学の博物担当の教員は、江崎の本格的な昆虫標本を賞賛してやまなかったともある。江崎は高校時代を鹿児島で過ごすが、江崎は海の生物にも大きな

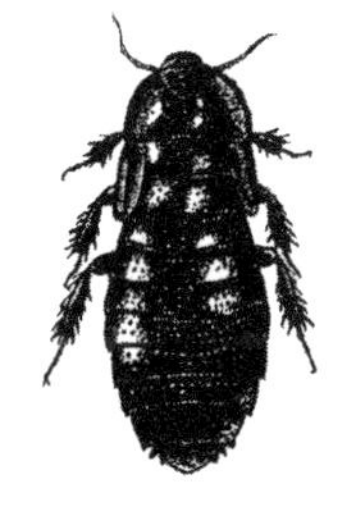

エサキクチキゴキブリ
（30mm）

興味をもっていて、「将来学者として進むのに、昆虫を選ぶか海を選ぶか。双方に未練が残る。のちの昆虫分類学者江崎悌三が海産半翅類に大きい興味を示したのは、このあたりに原因がある」と上野は書いている（上野　1974）。江崎は自身の研究対象の虫については自身で記載を行っているが、江崎の専門外の昆虫の発見に際しては、何人もの昆虫学者が江崎の名をその虫に献名している（エサキクチキゴキブリのように、九州南部の野外で見られるゴキブリにもその名を残している）。

なお、『江崎悌三著作集』掲載の著作目録によれば、江崎が昆虫について初めて発表したのは、14歳の1910（明治43）年とき、名和昆虫研究所発行の『昆虫世界』への投稿だったというから、江崎が少年時代から昆虫に入れ込んでいたのは、このことからもわかる。

江崎自身の記録も見てみよう。

「八重山諸島昆虫採集記」と題された記録の冒頭には、江崎が八重山の島々をめぐる旅に出た理由について、次のように書かれている。

「島の昆虫相は概して貧弱である。殊に大陸から離れた島ではいっそうその観が深い。しかしその位置が陸地発達史の上から見て特殊な点にあったり、また地形が特異であったりした場合には、その昆虫相というものはたとえ量的には貧弱であっても、非常に重要な意味をもっているもので、これを十分に研究して見る価値のあるものである。この意味において我が日本を構成するいわゆる花綵列島なるものは、昆虫地理学の上から見て限りなく興味深いものであり、また我々のごとく日本の昆虫相をいっそう詳しく研究しようとするものにとっては、各大島を結ぶ線状に横たわる一つ一つの小島にも無限の興味が注がれるのである」

江崎は大島らと1934（昭和9）年、6月14日に福岡を出発、15日に鹿児島出航の船に乗り、17日に沖縄島到着。沖縄島で数日を過ごしたのち、6月21日那覇港発、6月23日に石垣島に到着している。帰りは7月30日に出発するまで約5週間を八重山の島々で過ごし、台湾を経て福岡に帰着している。

先に、江崎は14歳のとき、『昆虫世界』誌上で初めて昆虫についての報告が掲載されたと書いたが、この記録が掲載される2年前の1908（明治41）年の『昆虫世界』には、卓爾からの報告で、ツマベニチョウの幼虫、サナギ、食草（ギョボク）が判明したことが紹介されている。また、1911（明治44）年の『昆虫世界』には江崎は「タイワンアゲハに就て」や「クロテンシロテフに就て」などの記録を発表しているが、同年の『昆虫世界』には、卓爾が石垣島で初めてコウシュンシロアリを発見し、名和昆虫研究所に送付があった（このころ、名和昆虫研究所ではシロアリ相の解明にも力を入れていた）ことなどが紹介されている。そのため江崎にとって、石垣島訪問は初めてであったが、少年時代から卓爾の名前は『昆虫世界』の誌上でよく見知っていた名前であったはずだ。

石垣港で、一行を、ツトムや卓爾、長宣らが出迎えたが、江崎は「八重山諸島昆虫採集記」の中で、このときすでに測候所長を退職していた卓爾のことを、次のように紹介している。

「昭和七年（1932）引退された後も同地に〝袋風荘〟という寓居を新築されて、今日では〝幼稚園の副園長〟という名誉職におられるが、先生は独り本職の気象学のみならず、およそ八重山に関することならば、歴史、地理、習俗、言語とあらゆる方面に精通せられ、また土地の開発、産業の発展等にも偉大な貢献をされて、八重山と岩崎翁とは、切り離して考えることの出来ない関係にある。殊に同地の昆虫に関しては造詣深く、今日我々の有する知見も元を正せばその大半は先生に負うところのものであると言って差し支えない」

最大限の賛辞であるといえるだろう。

江崎は先の文章に書かれていたように、昆虫の中でも海に生息する半翅類（セミやヨコバイ、カメムシなどの仲間）であり、特に海に生息するアメンボの仲間に強い興味を持っていた。そのため、八重山を訪れた際には、江崎は陸上の昆虫を調査するだけでなく、大島の珊瑚礁の生物調査に同行し、珊瑚礁域に生息する昆虫を観察・採集する心づもりだった。

昆虫は、地球上で一番多様な種数を誇る生物群であるものの、海洋環境にはほとんど進出をしていない。外洋を生息域としているものは、表層で暮らす外洋性のウミアメンボ類5種にすぎない。また、水深2メートルより深い海底でくらす昆虫も知られていない（丸山　2004）。江崎も海の昆虫に関して「陸上に於ける昆虫類の繁栄に比べて、海産の昆虫が桁外れに僅少なことは特筆すべき事実である」と書いている（江崎　1933）。ただ、海岸の潮間域と呼ばれる、潮がひいたときに干出する一帯や、海水と淡水が入り混じる汽水域に生息する昆虫は、昆虫全体の種数からするとわずかな割合ながらも、ある程度の種数は知られている。そのため、満潮時は水中にある珊瑚礁であっても、干潮時に空中に露出するような一帯には、昆虫の姿が認められる場合があるわけだ。このほかにも、海岸で見られる昆虫には、沿岸の表層でくらすアメンボ類もいる。例えば、この年の調査でも、再度宮良川河口のマングローブ林の生物調査が行われたが、この時、江崎は汽水域に生息する、その名もウミアメンボという名の沿岸性のアメンボを採集している。

ところで、この宮良川調査には、卓爾も参加するというので、一行は興味津々で卓爾の登場を待ったことが『先島朝日新聞』には報じられている。なぜなら、卓爾はいつも和装で通していたわけであるけれど、潮のひいたマングローブ干潟の調査に、卓爾が和装でやって来るとは思えなかったからだ。ところが、一行の前に姿を現した卓爾は、いつものごとく和装で、足元もタビと下駄といういで立ちだったので、一行はどぎもをぬかれたとある。はたして、この恰好でどの程度調査に参加したのかまでは、詳しく紹介されていなかったのだが。江崎の記録には、この時の、白い着物を着て、杖を持った座位の卓爾の写真も掲げられているが、そのようないでたちをした痩身の卓爾は、気象予報官というよりは、まるでインドの行者のようだった。

野外調査の合間に、登野城小学校に所蔵されている生物標本の視察なども行われている。その中には、かなり痛んではいたが、ペリカンのはく製もあった。卓爾が、鳥獣報告のため葉書通信でペリカンについて報告をしているが、これはこの調査の後のことで、登野城小学校に所蔵されていたものは、1901年に崎枝で捕らえられたものだった。また、昼間の調査から宿に帰った一行のところへ、瀬名波長宣が訪れ、江崎に1923（大正12）年に採集したという「秘蔵」のイワサキコノハの標本を進呈したということも、新聞の連載記事には紹介されている。イワサキコノハは迷蝶であるから、石垣に行けば見られるというものではなかったし、何より卓爾に名が由来するチョウでもあり、江崎を喜ばせた。この時、さっそく卓爾も自身の昔の採集談を披露して、皆をわかせたとある。

## 珊瑚礁の昆虫たち

江崎らが島を訪れた時、卓爾はすでに65歳となっており、島の案内役を務めたのはもっぱらツトムや長宣であった。ツトムは石垣島だけでなく、江崎らの波照間島や与那国島の探索にも同行している。

江崎の記録では、7月24日、一行は、川平に遠征している。川平は四箇から20キロ余り離れた石垣島の西海岸に面する古くからの集落だが、その集落が面している川平湾は、現在、風光明媚な観光名所として知られている。当時、川平には御木本真珠の真珠養殖場があり、江崎ら一行は、そこを利用して泊りがけの採集、調査を行った。

翌7月25日に、江崎はツトムと島の北岸に沿った地域の昆虫調査をおこなっている。途中、ツトムがイワサキコノハと思われるチョウを見かけたが採集はできなかった。「しかし各種のアゲハチョウ、マダラチョウの類の多いことは驚くほどで、時にはスジグロカバマダラに若干のリュウキュウアサギマダラ、オオゴマダラが何十何百と群れて、これを避けて通らなければうるさいような所もあった」と、江崎は書いている。

この日の夕方、ツトムは馬に乗って四箇に戻り、測候所で徹夜の勤務をしたのち、翌朝6時に測候所を馬で出発、9時には川平に戻ってきた。この日は珊瑚礁の貝や昆虫の採集である。それが終わって、夜道を5里半歩いて四箇へ戻ったのだが、宿に着いたのは、夜中の1時だった。

「二日二晩不眠不休で活躍した正木君もさすがにへばったと見えて、それから数日間休養された由で、誠に相済まなぬことであった」と江崎は書く。

観測業務と江崎らの案内によって無理がたたり、ツトムが倒れた件については、大島も「正木君は一晩措きに徹夜で観測をした翌日の、休養に充てられた一日を私達のために捧げて遠征に同伴されるのであった。その絶倫の精力は正に驚嘆すべきものがあつた。併し、流石に或時到頭へたばつて、二三日床に就かれたことがあつた」（大島　１９４７）と書いている。

ところが、この江崎や大島が書くところの、ツトムの「へたばり」は、実は、かなり深刻な状況だった。

「大島先生らの案内で川平に日帰りで出かけたとき、帰ってから、主人が玄関で倒れたんです。ずっと気象観測をしていて、休みの時間になるところを、今度は大島先生らの案内をしていたわけですから、体に無理がきたんです。そんなところに、飲んだ生水があたったんじゃないでしょうか。もう、あげたり下げたり大変です。お医者さんに見せたら、見せるのがもう5分遅れたら、あんた未亡人になっていたよといわれて。命拾いですね」

シゲさんは、当時のことを、そう語っている。

江崎や大島が「へたばり」と書いたのは、病の床から起き上がり、一行の調査に復帰したツトムが、自分が重篤な状況に陥ったことを一言も話さなかったからだろう。

それにしても二日二晩徹夜で観測と調査に明け暮れるというのは、やはり無茶と言えば無茶だ。

正木家に遺る写真を見ると、ツトムはロイドの眼鏡をかけた、どちらかといえばきゃしゃで、おっとりしているような面立ちに見える。しかし、ツトムは机の前に貼りついているような学究肌ではなかった。シゲさんによればツトムはいつもいそがしそうにしていたという。大島らの来島時、昼夜ぶっ続けで駆け回り、結果倒れたツトムは無鉄砲というよりも、測候所に入所するまでの思うようにならなかった日々を取り戻すかのように、時を惜しんで駆け回っていたということかもしれない。

ところで、先にふれたように、江崎の一番の専門は海産の半翅類である。そのため江崎にとって、珊瑚礁の昆虫調査は来島の大きな目的だった。従来、珊瑚礁の昆虫を調査した例はほとんどないと江崎は書く。江崎の参加する前年の1933（昭和8）年の調査で、大島らの調査隊は、珊瑚礁上で、特異な姿のアメンボの幼虫を見つけている。そのため、江崎はこのアメンボの成虫を捕まえ、その正体を明らかにすることを調査の一つの目標にしていたのだ。そして、この時の調査で、江崎は石垣島の珊瑚礁周辺で、宮良川の河口でも採集したウミアメンボを採集している。一般の水面で見られるアメンボは細長

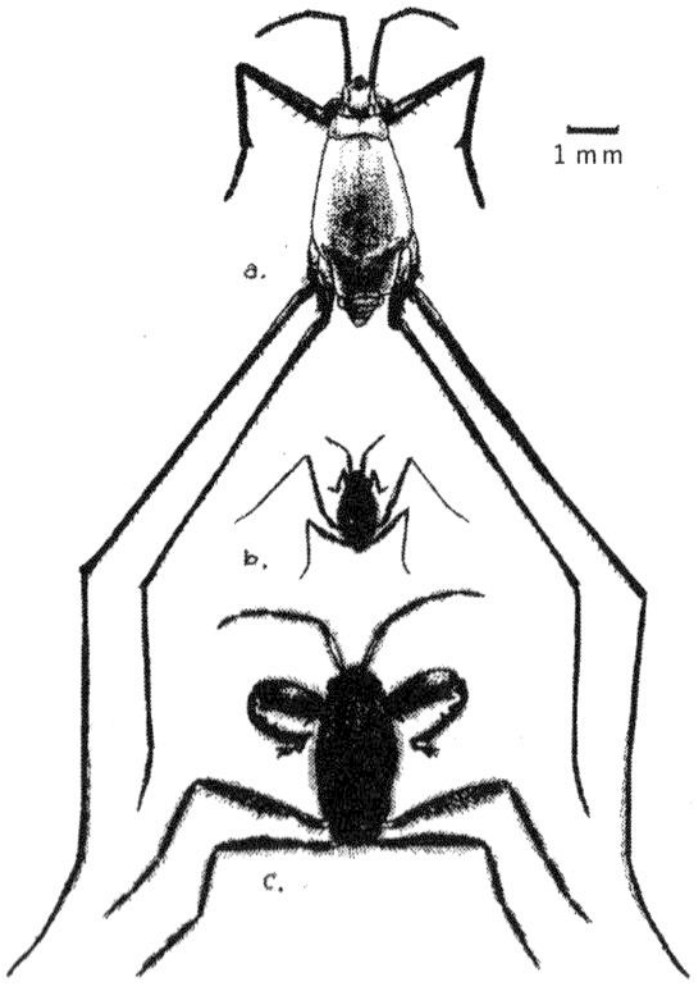

珊瑚礁のアメンボ類
aウミアメンボ　bケシウミアメンボ
cサンゴアメンボ

い体をしているが、ウミアメンボは丸っこい体をしていて、また体表が細かな毛でおおわれ白っぽく見える。さらにケシウミアメンボも見出すことができた。ケシウミアメンボは太平洋岸では千葉県以南の海岸で見られる小型の海産アメンボで、ウミアメンボと異なり色は黒い。江崎はケシウミアメンボを本土で採集したことはあったが、八重山で見つけるのは初めての事だった。そして、探し求めていた特異な姿をしている海産のアメンボも採集することができた。このアメンボは水面をかなり素早く滑走するかと思えば、海面上の岩の上を器用に走り回ることもできる水陸両用のアメンボだ。またその姿も、一般の水面に見られるきゃしゃな脚を持ったアメンボと異なり、かなりがっしりした脚を持っているのも特徴である。この日本からは初めて報告されることになった珊瑚礁で暮らすアメンボに、江崎はサンゴアメンボという和名を新たに付けることにした。

また、珊瑚礁の昆虫調査において、アメンボの他にハエ目3種、トビムシ目1種、クモ目1種などを見つけたのに加え、予想外の昆虫を江崎は発見し、「さらに愉快な大発見」というフレーズでその虫の発見のことを記録している。これは、干潮時以外は水面下に没してしまう珊瑚礁上で暮らしている小甲虫のハネカクシの一種だった。

甲虫は一般に、硬い上翅で飛ぶための後翅と腹部を覆うが、細長い体形をしたハネカクシ科の甲虫は、短い上翅の内側に飛ぶための後翅を畳み込み、腹部がむき出しになっているという特徴がある。ハネカクシには微細な種が多く、現在もまだ、未記載種が多いのだが、江崎の見つけたこのハネカクシも、当時、まだ学会に報告がなされていない未記載種だった。江崎がこの珊瑚礁上での昆虫採集の結果について、「八重山列島に於ける珊瑚礁の昆虫相」という題で講演したときの要旨が雑誌に記録されているが、この中で、見つけたハネカクシについて、「演者は今回石垣・竹富間の干瀬上、最近の陸地より少なくも3㎞を離れた箇所にて、大なる珊瑚礁片の下にStaphylinidae（注：ハネカクシ科）の1種を発見した。これは軟体動物の卵塊や海鞘類の群生せる礁片の表面を歩行するが、日光の下には現はれない。その数も余り多くなく僅かに3頭を採集したに過ぎない。その形態を精査するに、キチンの発達少なく淡褐色、軟弱で、複眼は小さく、後翅及び気門を全く欠き、海水中の生活に特異な適応を示している」と、その生態や形態を発表している（江崎　1935）。

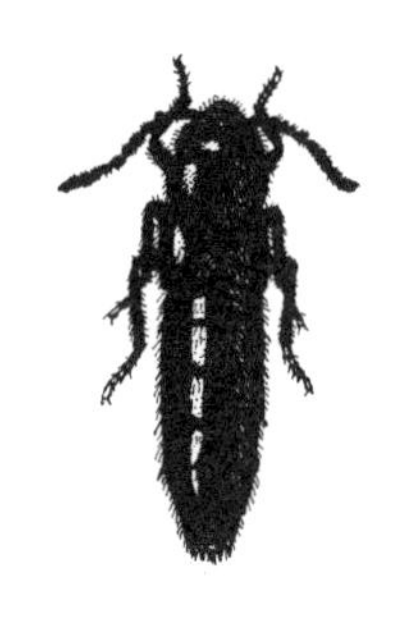

エサキサンゴハネカクシ
（2.5mm）

このハネカクシは、後年、ハネカクシの研究者沢田高平によって、エサキサンゴハネカクシという名を与えられ、記載されることになる(Sawada 1956)。

## 隠された発見者

もう少し、大島や江崎の記録から、目に付いたところを拾い出してみる。

大島の「八重山の動物」の中には、卓爾が1934（昭和9）年に珍しいヘビを見つけたことが次のように紹介されている。

昨秋11月1日、岩崎卓爾翁は珍しい蛇を採集され、其標本を牧茂市郎博士に送つて査定を乞はれたのであるが、同じ蛇の第2の標本が翌月の9日にまた採れた。是は正木氏から私に贈られ、これも牧博士の手許に送つてあるが、同博士による此蛇は *Calliphis* 属の1新種だそうで、詳しい記載の発表を待つことにする。之に就き岩崎翁の私に宛てられた私信が非常に面白いから、その一部を紹介させて戴くことにする。

〝時に本月一日石垣島バンナ岳中腹に於て謎の珍蛇採集、方言名は無敵の喜舎場氏頭を掻きたりしが、東奔西走の上「鷹ノ玉」蛇（ハブ）と識れたり。他方ては「フニン・ヌ・タマ・ハブ」とかいふ由。鷹ノ玉蛇とは、寒露の季「サシバ」年々歳々殆んと日を同ふして北より南に渡る、其途中彼の頸飾に佩せし玉を落墜せるもの、態容恰も方言アカダマ和名「トウアズキ」に似たり。観察の奇しき敬服の至り也。「フニン・ヌ・タマ・ハブ」は柑橘（フニン）の幼実を貫きたる佩玉を意味するとか。前者は川平地方名、後者は登野城名なり。〟

現在、イワサキワモンベニヘビと名付けられているヘビの発見にまつ

イワサキワモンベニヘビ

わるエピソードだ。このコブラ科のヘビは、交互に赤と黒のバンド模様のある美しいヘビだが、その様を、島の人々は、秋に渡り鳥としてやって来るサシバが落とした「首飾りのヘビ」（島では、トウアズキの赤い豆をつないで首飾りにしたりする）といった意味の方言名や、「ミカンの若い実を貫いて作った首飾りのようなヘビ」といった意味の方言名があることが、喜舎場永珣の調査でわかったと卓爾は大島に伝えている。

このヘビの発見は、地方紙でも取り上げられ、１９３４（昭和9）年11月20日の『沖縄朝日新聞』では「八重山の岩崎翁が蛇の新種を発見」と題して報じられた。その記事には、「私は先日裏の山を散歩したとき、一寸変はったグロテスクな蛇を見たので、オヤと思って見詰めていると、どうも見たことのない蛇だったので生けどって帰った。この蛇はずいぶん前から居た筈だが、余り巣から現れないので、島民は誰もみた者がなく、皆珍しい気味の悪い蛇だといって見にくる。しかし、なかなか愛嬌味たっぷりな動物だ…」といった内容が書かれている。

ここで興味深いのは、この新聞記事を、喜舎場がスクラップとして切り抜き、そこにメモを書いていることだ（石垣市立図書館蔵、『喜舎場家新聞スクラップ』より）。

喜舎場のメモによると、このヘビは、「岩崎翁が採捕したのではない。この記事は誤報である」とある。なお、ヘビが採集されたのは、大島が引用しているように、バンナ岳であった。ただ、発見・採集者は卓爾ではなく、名が伝わっていない、一人の島民だった。発見者はヘビを卓爾の許へ持ち込み、卓爾に売ったのである。その際、卓爾は「50銭銀貨一枚を渡そうとしたら、ヘビを持ち込んだ島民はびっくりしていて、〝20銭くらいでよい〟といったが、財布に50銭銀貨しかなかった。あったら一円くらいくれたかった…」といってカラカラと笑ったというような話が書かれている。

このように、卓爾が「発見」したとされている生き物の中にも、実際は卓爾ではなく、他の人が見つけたものが卓爾の許へ持ち込まれ、それを卓爾が本土の研究者に送りだしたことが他にもあったのではないかと思う。また、卓爾がこうした「新種発見」に関わる例が増えると、ここで紹介したように、経緯はぬきにして、すべて卓爾が発見したという話ができあがってしまうような雰囲気もあったのではないかと思う。

そうした例のひとつとして、１９３１（昭和６）年12月23日、『先島朝日新聞』に、「本県未録種の蝶を採集　シロオビヒカゲ」と題して「11月22日風の宿同人等西表島古見に遠征してヌベヤマ・ヒカゲ学名シロオビヒカゲを採集した。この蝶は台湾では普通種だが沖縄では未録種で石垣島測候所長岩崎蝶仙翁は珍品だと大喜びである」と報じられた記事がある。この記事を読むと、シロオビヒカゲの採集者は「風の宿同人等」と表記されている。風の宿とは、卓爾の住まいの袋風荘の異名のことだが、「風の宿主人」ではなく、「風の宿同人等」とされているので、この文では、採集者が誰のことを指すのか判然としない。一方、採集されたチョウは、本土の研究者に送られ、シロオビヒカゲの西表島産の新亜種として、学名に *iwasakii* という亜種名がつけられることとなった（現在はシノニムとなっている）。しかし、実際は、このチョウの採集者は、ツトムであった。

ツトムの活躍

卓爾に変わって、島の虫に関して、少しずつツトムが頭角を現していく。ツトムが登場する虫の記録を拾い出してみることにしよう。

1935（昭和10）年。ツトムは一頭のチョウを捕まえ、九州大学の江崎の元へ送る。このチョウは、日本で初めて確認された迷蝶だった。また、このチョウは江崎らによって、これまで知られていなかった新亜種であるとされ、和名もマサキルリマダラとつけられ、発表された（江崎ら　1937）。

「マサキルリマダラ（新称）　*Euploea mazares masakii,n.subsp.*

本亜種はフィリッピンに産する *E. mazares monilis* Moore に似たるも、前翅の翅頂の内方の白色紋群は甚だ拡張して顕著となり、後翅外縁の白紋列全く消失せるにより容易に区別される。原種はジャヴァ等に産するもので、尚外に多くの亜種が東洋熱帯の諸地方から記録されてゐるが、石垣島産のものはそれ等の孰れにも一致せず新亜種を代表するものと考へられる。新亜種名及び和名は共に採集者正木任氏に因んだものである。

このような説明がなされている。

1937（昭和12）年に、ツトムは「八重山諸島の蝉類の出現期に就いて」（正木　1937）という報告を発表している。セミ類の初鳴きは生物季節観測の項目であり、１９２８〜１９３６年間の観測記録をまとめたものである。例えばイワサキゼミは通常7月中旬より鳴き始め、11月初旬に鳴き終わるが、１９３１（昭和６）年の鳴き終わりは12月29日と異常に遅く、またこの日の平均気温は21・7度であったと報告している。イワサキヒメハルゼミの場合は、4月下旬より鳴き始め、8月中旬に鳴き終わるとある。１９３０〜１９３６年の間では、最も早鳴きだったのは１９３３（昭和８）年の4月25日、最も鳴き終わりが遅かったのが１９３５（昭和10）年6月22日だったともある。イワサキクサゼミの場合は、普通4月初旬に初鳴きが見られるが、１９３５（昭和10）年には1月9日に異常発声した個体が見られ、この個体は採集もしたと書かれている。

なお、この報告の中には、八重山におけるセミ類の方言名の紹介もなされている。例えば、クマゼミはカーチーサンサン（カーチーは夏至のこと）、ヤエヤマクマゼミはヤマサンサン、タイワンヒグラシはナナツンガニ（晩鐘の意味？とある）、イワサキクサゼミはシーミーサンサン（シーミーは清明のこと）といったぐあいである。また、この報告を行うにあたり、ツトムは「何時も種々御指導激励を賜る、大島広博士、江崎梯三博士、九州帝国大学農学部昆虫学教室及び動物学教室の方々、岩崎卓爾先生、瀬名波長宣氏に深甚なる謝意を表する」という謝辞を書いている。

１９３９（昭和14）年に、ツトムが石垣島測候所内で捕まえた蝶は、江崎に送ったところ、それまで日本領土内としては、台湾の沖合に位置する紅頭嶼（現・ランユー）で唯1頭だけ得られたことがあったコウトウシジミであることがわかり、報告がなされた。

## 尖閣諸島の調査

同年には、ツトムは尖閣諸島の調査も敢行し、翌年、その調査結果を「尖閣群島を探る」（正木1940）として発表している。この報告の冒頭には、江崎が次のように、「はしがき」を寄せている。

「従来同群島の生物学的調査は頗る不完全で、嘗て明治33年（1900）の昔に、理学士（後の医学博士）宮島幹之助氏と沖縄師範学校の黒岩恒氏が古賀氏の徳に雇った大坂商船会社汽船永康丸に便乗して、（中略）後に夫々の探検記の発表されたるものがあるのみである。（中略）偶然昨年（1939）石垣島測候所の正木任氏が同群島を跋渉されたのを聞き、特に請うて本誌の為にこの一文をお願ひした次第である。正木任氏は嘗ての石垣島測候所長で八重山生物学界の元老として知られた故岩崎卓爾氏の秘蔵弟子で、篤学新進の生物学者であり、従来幾多の研究を発表されてゐる」

ツトムの尖閣諸島の調査は、農林省農事試験場の職員や、尖閣列島で海鳥採取などの事業を行ってきた古賀商店の職員らと一緒に行われた。5月24日に魚釣島、27日には北小島、翌28日には南小島、同日に黄尾嶼（久場島）、6月3日には赤尾嶼（大正島）に上陸し、同日夕方に尖閣を離れ、八重山に戻っている。この中の、例えば魚釣島は、蒲葵（ヤシ科のビロウ）が多く、このほかシャリンバイやリュウキュウガキ、タブノキ、イヌマキなどの樹木もみられ、「山の中の少し湿った枯れ木葉の下に、或はオオタニワタリの根の附近に大きい陸産マイマイが採集できる」と書いている。採集されたのはアツマイマイ、タダマイマイといった、尖閣諸島固有のカタツムリたちだった。ただし、「昆虫類は少しく時期が早かったのか余り採集できなかつたが、蚊が非常に多いのは注意を要する。採集せるものはほとんど皆、*Culex quinquefasciatus* Say 熱帯イヘカであつた。海岸の岩の割れ目や凹み等の天水の溜つた所には、蚊の幼虫が実に多い。蝶類は非常に少なく、1．ツマベニテフ、2．アマミウラ（ナ）ミシジミの二種であつた。蒲葵林中にはタイワンカブトムシを見た位で予想外貧弱であった」と報告している。

報告のまとめにツトムは次のように書いている。

尖閣群島は生物地理学上興味ある所で、人為的の攪乱を蒙らない為め、未発見の生物が多々あることと思はれる。

僅か2週間の採集にて陸産貝類の新種3種を発見したことは特筆すべきことである。昆虫類その他にも新しきものの発見されることを期待してゐる。

魚釣島の原始林の保護、北小島のセグロアジサシの大群、黄尾嶼の鰹鳥及水凪鳥等の濫獲の取締り等は緊急必要なことで、セグロアジサシの繁殖地として捻転記念物の指定をなし、北小島への上陸禁止をやつて欲しいと思はれる。

この調査のおりにツトムが採集したカタツムリのうち一つは、貝類研究者の黒田徳米によって、ツトムの名をとって、マサキベッコウとして命名記載された。また、この調査の報告時に、リュウキュウルリボシカミキリとされたカミキリは、のちに別種とわかり、センカクキラボシカミキリ（*Clenea masakii*）と学名にツトムの名を冠した種として記載されている。

なお、ツトムの名前を冠している虫の代表ともいえるマサキウラナミジャノメは、1947（昭和22）年に伊藤修四郎によって新種記載されている。ただし新種記載にあたって、記載の基準とされる標本（タイプ標本）は梅野明が1932（昭和7）年に採集したものである。そのため、このチョウの場合は「第一発見者」が誰であるかははっきりしない。マサキウラナミジャノメは迷蝶ではなく、八重山に棲みついているチョウだから、「発見」というよりも、このチョウがこれまで報告されている仲間のチョウとは違うと「認識」されるようになり、その際に島の昆虫相の解明に様々な貢献のあったツトムの名が記念につけられたということではないだろうか。

コノハチョウの謎

1932（昭和7）年に大島が初めて石垣を訪れた時、海洋無脊椎動物を専門としているはずの大島は、ツトムの案内でコノハチョ

ヤエヤマウラナミジャノメ　　マサキウラナミジャノメ
石垣島産　ウラナミジャノメ類

ウを採集にでかけている。コノハチョウは、特にチョウに興味を持っていない人も魅了する、熱帯、亜熱帯特有のチョウだ。それは何より、「木の葉」そっくりの姿が、自然界の妙、擬態の代表例として認識されていたからだ。

コノハチョウが擬態の名手であるということを、最初に世に知らしめたのは、少年時代の僕の父に強い印象を与えたという本のうちの一つ、ウォーレスの『マレー諸島』である（『マレー諸島』に登場するコノハチョウは、日本産とは種類が異なり、ムラサキコノハチョウという種類である）。

『マレー諸島』の中のコノハチョウの記述は次のような内容となっている。

> 翅の表面は濃い紫色でさまざまな程度に灰色を帯び、また前翅を深いオレンジ色の幅の広い帯が横切っているので、飛んでいるときはよく目立つ。この種は乾燥した森や林に行けば少ないチョウではないのだが、私の捕獲の努力はしばしば失敗に終わった。なぜなら、このチョウは少しだけ飛ぶとやぶの枯れ葉のあいだに

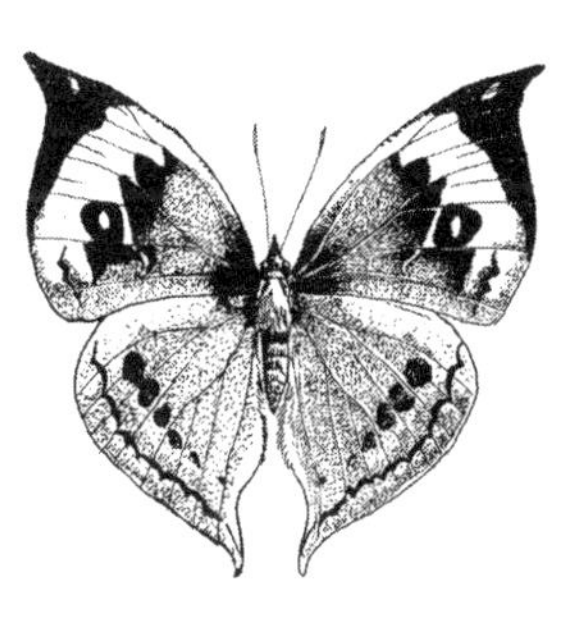

コノハチョウ

コノハチョウの幼虫

入ってしまい、かなり注意深くその場所に忍び寄ってみるのだが、そのチョウがふたたび飛び出すまで見つけることが全然できず、また飛び出したチョウもふたたび同じような場所に姿を消してしまうのである。（中略）このチョウが休止姿勢をとっていると枝についている枯れ葉に本当にそっくりで、それをまじまじと凝視してもたいてい欺かれてしまうにちがいない。（中略）翅の裏面の色調にはかなり変異があるが、いずれにせよ灰褐色から赤身を帯びた色調で、枯れ葉の色に一致している。この種は習性としてつねに枝の上の枯れ葉のあいだにとまり、この翅をきちっと合わせた姿勢をとると、少しばかり湾曲して萎縮しているものの、ふつうの大きさの木の葉そのものとなる。（中略）頭と触角は翅のあいだに引き込まれて完全に隠れるのだが、翅の付け根に小さなくぼみがあって頭が入るようになっている。これらさまざまなことが組み合わされて、誰が見ても驚くような完璧で不思議な変装となっているのである。（ウォーレス　１９９３）

ところが、このウォーレスの観察記録に対して、徐々に疑問の声があがるようになった。

名和昆虫研究所が発行していた『昆虫世界』は、発行当時、昆虫全般に対する知識の普及、害虫や害虫の防除に関する知識の普及に大きな力を果たした。１９０９(明治42)年1月15日に発行された『昆虫世界』13巻１３７号の巻頭には、恭賀新年の文字が掲げられている。そして、その新年のあいさつ状の下には、広告として、「木の葉蝶鱗粉転写標本」「木の葉蝶図説」「木の葉蝶葉脈標本」「台湾産蝶類標本」という文字が並んでいる。鱗粉転写というのは、紙の上にロウをひき、そこに切り離したチョウの翅を置き、圧着させることでチョウの翅の模様を形作る鱗粉だけを紙の上に接着させた標本のことである。この広告を見ると、当時、コノハチョウの人気は高く、名和昆虫研究所にとって、コノハチョウは重要な商品であったことがわかる。

『昆虫世界』13巻137号には、さらに「木の葉蝶に就きて」と題して名和靖が「学説」を書いている。その概要を紹介してみよう。

「昆虫の保護色として何より有名なのがコノハチョウである。保護色を扱ういかなる本にもコノハチョウのことは紹介されているので、小学生でさえ、その名を知っている。しかし、日本では琉球か台湾にしかこのチョウは分布していないし、その土地でも普通には見られない。そのため、標本を得ることはもとより、その生態を知ることはいっそう困難である。

コノハチョウの翅の表面は鮮やかな色をしているが、裏面は木の葉そのものの色合いをしている。そして木の幹に翅を閉じて止まると、まったく枯れ葉のようにしか思われない。

コノハチョウの擬態については、四十年前、ウォーレスが『マレー諸島』という本の中に書いている。ウォーレスは、コノハチョウが極めて素早く跳ぶことや、花や緑の葉の上には止まらず、枯れ葉または灌木の中に入り込んで姿をくらますことを観察した。また、止まるときはほとんど直立している枝状に、頭を上にし、翅の間に触角を隠し、後翅の尾状突起を枝に接することで、あたかも枯れ葉が葉柄で枝についているように見えることも述べている。この報告が世によく知られたため、ウォーレスの本の出版後は、多くの本ではウォーレスの本の図をそのまま引用するか、その図を改変したものを載せている。

ところが沖縄県の国頭農学校校長をしている黒岩恒が、コノハチョウが静止するときは、頭部を上ではなくて下を向けるということを名和に語った。そのため、石垣島の卓爾にコノハチョウの観察を依頼するとともに、昆虫研究所から森宗太郎を派遣して卓爾の案内のもと、コノハチョウの観察を行うこととした。

石垣島において、コノハチョウが多くみられる場所は、峰が迫った渓谷であり、観察に赴いたのが雨の多い季節であったため、渓流は濁流をみなぎらせて観察を困難にした。森の報告によれば、イバラの棘により肌から血を流し、ときにはぬいだ服を頭の上にかかげて濁流の中にたたずむこと数時間に及んだという。

森の観察では、黒岩の報告にあったように、コノハチョウは頭部を下に向けて止まることがはっきりした。そのため、ウォーレスが説明した枯れ葉擬態の説明とは別の説明を考える必要がある。ともあれ、コノハチョウは止まるときに必ずしも枯れ葉のある中に止まるわけではない。たとえ緑の葉の中に止まっても、そのような場所に枯れ葉が一枚あることは不自然ではないわけだから、今後、コノハチョウの絵を描く場合は、枯れ葉の中に描く必要はないということになる。

また、コノハチョウの幼虫については、日本ではその姿を知る人はおそらく誰もいなかったと思われる。ところが卓爾は、千難万苦を乗り越え、コノハチョウの産卵現場を押さえることに成功した。さらにその卵をふ化させ、幼虫を得、その幼虫を飼育して成長の過程を明らかにした」

ざっと、このようなことが書かれている。卓爾は、日本におけるコノハチョウの生態解明にも尽力していたわけである。そして、どうやらウォーレスが紹介している、コノハチョウが止まるときの場所や姿勢には、誤りがありそうだということがはっきりした。

## コノハチョウの生態解明

コノハチョウについては、石垣島を訪れた際、江崎も特に注意を払っている。江崎の記録では、石垣島に到着した翌日には、一行で、さっそくツトムや長宣らとバンナ岳に採集に向かっている。街中からすでにツマベニチョウが多くみられ、例年は数の少ないナミエシロチョウもこの年は発生量が多かったと書かれている。バンナ岳の森に入った後で、コノハチョウにも遭遇するのだが、その時の様子を引いてみよう。

「バンナ岳の南斜面は草原であるが、これを登って頂上近くから北面へ越すと見事な密林へ入る。この北面を次第に下って行くと小さな渓谷になる。これは宮良川の源頭に当たるのである。ここはいろいろな昆虫が多くて、実に愉快で、蝶もちょっとした空地に盛んに乱舞している。途中からはコノハチョウが幾つとなく飛び出しては頭上を旋回する。ヤマアイの葉にその幼虫も多い。コノハチョウの習性については多くの観察があるが、美しい翅を輝かせて飛び回るものは、多くは大きな緑葉の上や樹幹に止まる。葉の上ならば必ず頭をその先の方へ向けて止まり、時々翅を開いたりする。樹幹のものは必ず止まってから下を向いて静止する」（注：文中のヤマアイは、現在、コダチスズムシソウ〈別名：

セイタカスズムシソウ〉と呼ばれている植物のこと)

このような実地の観察も踏まえたうえで、江崎はコノハチョウの擬態に関して、あらためて一つの報告を行っている。これはウォーレスや名和ら、それ以前のコノハチョウに関する報告を時系列に沿って引用・整理するとともに、実際のコノハチョウの習性についてのポイントをとりまとめたものだ。

・コノハチョウは長距離を一度に飛ぶことはなく、頻繁に静止する。
・静止する場合は樹木の幹に止まることが多く、葉の茂った枝に止まることはない。またつる植物にも止まる。このとき、頭を下にむけて止まる。
・日照のある緑葉上に静止することも少なくない。このとき、止まる葉はチョウよりも大きいものである。またときどき翅を開閉したりする。
・静止する際は頭部や触角は露出し、ウォーレスが記述するように触角を隠すことはない。
・いずれも、特殊の偶然の場合をのぞき、チョウに類似する枯れ葉が周囲にあることはない。

こうしたコノハチョウの習性のポイントをまとめた結果、江崎はコノハチョウについて博物の教科書などに図示されたものや、展示された標本は、頭を上に向けようが下を向けようが、いずれも葉をつけた細い枝に止まらせた姿となっているものばかりだから、これは「人工的に作られた擬態」であると強く批判している。

コノハチョウは、あまりにも木の葉に似た形態をしているのと、ウォーレスの最初の報告が印象的だったために、実態ではなく、「こうであるにちがいない」といったような、特定のイメージが流布してしまったチョウだったわけだ。

コノハチョウに限らず、コノハチョウを含む真正タテハ類は、表翅と裏翅とでは模様が大きく異なり、表翅は目立つ色彩をしているが、裏翅は地味である。この理由としては、翅を閉じているときは、地味な裏翅しか見えないので隠蔽効果があるとともに、表翅をいきなり開くことで、捕食者を驚かせる効果があるのではないかという考えも、現在は出されている。また、飛んでいるチョウを捕食者が追いかけた場合、チョウが茂みや地上などに止まって翅を閉じてしまうと、それまで目立つ色彩の表翅を目印として追跡していた捕食者の目がはぐらかされ、見失う効果があるとも考えられている（高桑　1999）。つまり、コノハチョウの翅の特徴は、基本的に他のタテハ類とも共通したものであり、コノハチョウが、木の葉に似ていることで擬態上、効果があるのかどうかはよくわからない。

このコノハチョウにツトムも強く惹かれていたことが、正木家に残るツトムの遺稿から推し量れる。ただし、ツトムのコノハチョウの観察記は断片的なもので、残念ながら一つにまとめられてはいないが、次のような記録が読み取れる。

本種は我が国にて琉球と台湾にしか棲まぬ事は言うまでもない、又、昆虫数と気象とは又密接な関係をいつて居る事と今更言うまでもない……。

産卵：産卵するときは薄暗い木陰を低く飛翔し、リュウキュウアイ、地方名ヤマアイ、アイ、ノブルフサの上方にある草木等に産む。多くの場合は食草附近の枯れ木の枝裏に其の付近の草木に或いは地上に落ちたる枯れ葉の裏に、甚しきは岩石の表面に所かまわず産卵し食草の全くない場所にも産卵し、稀に食草に産卵する事もあります。（食草の密生し日当たり良き場所に産卵するのは見受けられない）

以上の様に多くは食草以外のものに産卵します。産卵後は日当たり良き場所に止まり時々羽を開きつつ、休養？を約30分位なし、又、低く飛翔しつつ産卵し始める。

産卵する時は枯れ葉を握って尾端を付けて2秒及至5秒位羽も動かさず静かにして産卵し、すぐ次の場所を選びに行く。時刻は私の観察した範囲では午前11時頃より午後4時頃までであるが、正午頃と3時頃に多く見受けられる。

付記

1932年5月21日　正午に2頭の雌が41ヶ所に産卵せる場を記す

5箇所　食草に産卵す

18箇所　食草附近（2メートル以内）の枯れ木、枯れ葉裏に産卵す

6箇所　食草上方の草木に産卵す（3メートル以上）

8箇所　食草全くなき場所（食草より3〜10メートル余り離れたところに産卵す）

4箇所　地表面の小石に産卵す。

卵：卵は樽形をなし、高さ１・11ミリ、横径（広い部分）１・14ミリ、頂径０・50ミリ、底径０・80ミリ、卵殻麺は通常12条の縦隆起線あり（縦隆起線は11条〜16条で定まらない）、産卵して間もなき卵は濃き緑色なるものの３〜４時間たつと縦隆起線は白色を帯び２日目からは紫色を帯び次第色は濃くなり孵化する。

幼虫：孵化当時の幼虫は体長３ミリ内外で頭部は光沢ある黒色で体は黄緑色を帯びて居ます。２日目になりますと体色は少し黒味を帯びてきまして、一眠し、３日目に脱皮する。一眠までは（触角）も見えなかったが脱皮すると触角が出来て居て、面目一新します。

また、ツトムは、このノートには残されていない観察も行っていたようだ。『沖縄毎日新聞』の１９３６（昭和11）年、11月20日から27日にかけて、卓爾を囲んだ座談会の様子が連載で報じられた。この座談会には、卓爾の他、喜舎場永珣や、植物研究家・考古研究家の多和田真淳らが参加していたのだが、その中にツトムもいた。この座談会の中でも、コノハチョウの色彩や形態は、擬態なのかどうかが話題になったのだが、この話題をやりとりするなかで、ツトムは「コノハチョウは葉の上といった目だったところに止まる。止まったらすぐに翅を広げる。オスとメスでも行動が違っていて、オスは主として緑葉の先端に止まる。一方メスは産卵する関係から、主に立木に止まり、稀に緑葉に止まる。立木に止まると、97％はそのあと下を向く」といった自身の観察内容を紹介している。

ツトムは徐々に生物への探求心を深め、先に紹介した尖閣列島の報告の「はしがき」にあるように、江崎から「生物学者」の一人として称されるほどとなっていた。一方、気象観測業務のほうでも、ツトムの責任は徐々に重くなっていく。1942（昭和17）年10月、ツトムは半年にわたり、中央気象台で高等講習科の講習を受講するため上京することになる。

## ツトムの手紙

東京・神田に単身赴任の居を構え、講習を受講することとなったツトムは、東京滞在中、妻と3人の息子たちに、筆まめに手紙を書き送った。それらの手紙は、現在も正木家に大切に保管されている。

その第一信は、那覇で書かれ、東京まで持ち運ばれた上で、1942（昭和17）年10月4日に駒込局に投函されたものである。手紙には、シゲさんに、長男の学、次男の譲（マサキさん）に勉強をさせなさいと指示している文面が見える（三男の宏はまだ就学前だった）。

ツトムは石垣から那覇へ向かい、那覇から神戸行きの船に乗った。マサキさんは、当時小学2年生だったが、ツトムが那覇にむけて出発した時の記憶が鮮明に残っているという。桟橋で、大勢の見送りの人々と一緒にいるマサキさんのところへやってきたツトムは、マサキさんの頭をわしづかみにして、前後に振りながら「一生懸命、勉強するんだぞ」と言って、人込みの中に消えていったという。その時のツトムは丸坊主姿で、グレーの三つ揃いの背広を着ていた。

9月29日、神戸着。その後、ツトムは福岡に向かい、九州大学で大島、江崎にあっている。その様子が、ツトムからの２通目の手紙には書かれている。

○１９４２（昭和17）年10月４日
　大学ではいろいろなことを午後５時ごろまで話して、江崎先生の自宅を伺った。奥様に会って、例の砂糖を上げたら非常に喜んで、（中略）独逸語で喋っておられたので面食った。


　この文中、「ドイツ語うんぬん」とあるのは、江崎の夫人は、江崎がヨーロッパ留学中に知り合い、１９２７（昭和２）年に結婚したドイツ出身のシャルロッテであるからだ。

福岡を訪れたのち、ツトムは上京。10月２日に東京着。東京では１９３９（昭和14）年から約一年半、石垣島測候所所長を勤めていた喜多豊一の家を訪ねている。喜多はこのとき、講習所の講師を担当していた。

「喜多様の話によると、石垣島に帰る筈だとのことで、与那国が出来たら行くか、と言われた。行くことは決して拒否しない。喜多様の話では、台長はなるべく土地の人は、その土地におく方針だとのことでした」

　そのような文面が見える。与那国島にあらたな測候所が建設される話が持ち上がっていた。東京でのツトムの講習は、新測候所の所長に就任するためには必須の課程だった。この手紙を投函した翌日の10月５日から、ツトムは講習所に通っている。

○1942（昭和17）年10月21日

去る16、17、18日は三日間休みだったので、15日夜、新宿発、甲府行きにて奥秩父へ大井様外十名とハイキングに行った。とても面白く、八重山の山と著しく変わりがあり、例えようもない。於茂登山の三倍位の山を三つ四つ越した。三日間も休みなしに歩き、少なからず疲労した。第二日目の17日は雨が降って、その上寒く、寝るのは山寺であったので、とうとう風邪を引いてしまった。大したことはない。心配無用だ。

東京在住中も、ツトムはヒマがあればじっとしていられないたちであるのは、変わらなかった。

○1942（昭和17）年11月13日

与那国が出来たら建設に第一歩を踏む積もりだ。与那国に測候所建設を主張し、事業を始めたのは喜多様と僕である以上は終わりまでやり通す決心だ。高等講習が終われば、けっして負けを取らぬ。現在の授業で電気に関する問題等、僕以外に解く者がいない。相当幅がきいている。その気持ち続ければ大丈夫だから先のことなど心配するな。一生懸命勉強さえすれば、所長になれることだろうと思う。然し、今は年が若いから遠慮する積もりだ。

○１９４２（昭和17）年12月６日
ほんとに長い間手紙がないので、淋しくて淋しくてたまらなかった。それは子供等のことに気が気でなかったのだ。これから寒くなるから子供の健康に留意下さい。（中略）親子はやっぱり一所にいることが絶対的に必要であることは、昔から人々によって教えられてきている。その点は僕も十分考えている。岩崎卓爾様の例の如きは、僕のような感情家には出来ないようだ。八重山にいた当時は出来ると考えていたが、今日の如く２か月も別居してみると、とても長続きできない。いかにも子供のことが気になるため、決して落ち着いて仕事が出来ない。

「岩崎卓爾様の例の如き」と書かれているのは、もちろん卓爾がある時期から家族と別れて暮らし、年に一度だけ家族の住む仙台に訪れていたくらしのことを指している。大島や江崎らが来島した時の不眠不休の活動を見ると、ツトムは家族に目を向けず駆けずり回ってばかりいたかのような印象を受けるが、ツトムの手紙には、何度も子どもたちのことに言及する記述が見いだせる。

○１９４２（昭和17）年12月20日
学、譲、お手紙ありがとうございました。お父さんは元気です。学、譲二人とも仲良く学校へ通っているとのお手紙で、お父さんは大変喜んでおります。（中略）お父様は12月25日から北海道はどんなに寒いか、どんなに雪がつもっているか、アイヌはどんなことをしているか、北海道にはどんな虫がすんでいるのか見に行くのです。そして帰りは秋田県、山形県、新潟県を廻って、長野県の霧ヶ峰という山に行って、スキーをやって、東京に1月5日ごろに帰ります。絵葉書などを送るから、よく見て、地理はよく知っておくように。よく勉強して偉い人になるようにしてください。学校から帰ったら勉強して、宏を連れて遊びなさい。（中略）学ぶさん、譲さん、宏さんへ。

せっかくの上京の機会であったため、ツトムは南の島では見ることの出来ない降雪現象を実際に見たいと考えたようだ。また、このとき北海道でツトムが買い入れ、石垣島に送り出されたクマの木彫りの面は、正木家に現在も大切に飾られている。

○1942（昭和17）年12月22日

与那国は三等測候所が出来るようで、先日、台長から呼び出しがあっていった。島の様子、民情、その他を聞かれた。写真なども持って行った。（中略）与那国の完成は、来年中にできる筈と思う。本州、九州に十六ヶ所新設の三等測候所が出来ているが、所長級になる人がいないので気象台も困っているような状態。与那国が出来るまでは、一寸したら別に行かされるかも知れないが、与那国へは所長になってでもなければ行かぬ積もりだ。（中略）国内に中堅技術者が少ないため南方は僕らでは不可能のようだ。年齢も三十五才以下だそうですから、ご安心下さい。すべて南方行きは断念した。

ツトムは一時、南方での気象観測業務にも関心をもっていたようで、妻のシゲがツトムの南方行きを心配し、そのことについて何度かやり取りを交わしたが、この手紙にあるように、結局ツトムも南方へ行くことはあきらめている。

○１９４３（昭和18）年１月２日

夢のうちに37歳を迎えた。今年こそはきっとやる決意だ。元旦は長野県上諏訪志の山田旅館で一人四畳半の部屋に炬燵を抱えて、淋しいお正月であった。家族の写真を前に出して、実に感慨無量だった。（中略）然し、これも雄大な理想完遂のためだ。きっときっと、今年こそはやって見せる。今しばらく辛抱して下さいね。（中略）北海道旅行記は、何かに書いて脱稿する積もりだ。

文中、37歳を迎えたとあるが、これは昔の「かぞえ」での年齢。現在の「満」でいうと35歳になる。文中の北海道旅行記は執筆されることはなかったけれど、本の執筆を考えていたのと並行し、ツトムは様々な記録などを発表していきたいという思いが徐々に強くなってきていたのではないかと思える。

○１９４３（昭和18）年１月２日

学君、譲君。二人とも二学期はよい成績でしたね。ほんとうにお父さんはよろこんでおります。（中略）今度、小包で本を送ってありますからよく読んで勉強してね。その中にお父さんが写した北海道の写真が入っております。説明は裏に書いてありますから、お母さんに読んで貰いなさい。アイヌの絵葉書は今日送りました。北海道は、とても寒かったよ。零下14～18度であった。近頃、東京では5度位で話にならぬほど北海道は寒い。八重山は20度位でしょう。そうすると北海道と八重山の温度の差は38度位です。38度の温度は、八重山で冬の一番寒い時の水の温度は15度です。私どもが風呂に入る一番高い温度が45度位です。その差、30度です。その差で代替の寒さは感じられましょうね。八重山の寒さ位はなんでもないのですよ。それだのに学、譲、宏さん達は朝起きるとき、寒い寒いと言って、ふとんの中におしりをかがめて丸くなっているでしょうね。そんなことでは弱虫ですよ。

子どもたちへの、愛情のこもった口ぶり。身近なことになぞらえて、科学的な見方の伝授を試みようとすること。この手紙は、ツトムの人となりをよく表しているもののように思う。

○1943（昭和18）年2月1日

先日人事課にいったら、東京にいてくれとのことでした。小生、研究未完成のものがあるので、一応、八重山に帰して頂くように話した。9月ごろは転任しなければならぬようです。然し与那国ができれば必ず与那国へいかせてもらうよう話したら承諾しておりました。近く台長様にもそのようなことを申す積りだ。（中略）それで8月までに一冊を著す計画を立てている。（中略）本を著すことは、ただ今の所、誰にも話さぬようにして下さい。今書かんとしている本については、各方面の先生に話したら、至急にやるようにと言われている（動物に関する本だ）。

この手紙で、ツトムが動物、おそらく八重山の生き物の本を書くことを心に描いていたことがわかる。また、この文面から察するに、その内容について、大島や江崎に相談もしていたようだ。

○１９４３（昭和18）年２月５日
東武電鉄にて日光に午後7時着す。全国スキー大会見学とスキーをするために伊吹山測候所の堀君と予報課の小池君の三人にて、ここまで来た。スキーも一度はやって見なくては気がおさまらぬ。（中略）後一か月で帰れるから、もう少しだ。今少しの辛抱ですよ。与那国へは確実のようだから、ご安心あれ。

○１９４３（昭和18）年２月21日
赴任地のことで心配しているようだが、帰ることに決まっているし、当分は石垣島に居れることは確実のようだから安心して下さい。然し与那国ができたら所長として行くかも知れぬ。所長でなければ石垣島に永くいるようにする積りだ。（中略）卒業式は3月10日だ。3月10日の晩、東京を出発する積もりです。遅くとも3月中には八重山に帰れるはずだ。（中略）早く帰りたくて帰りたくておちつかぬ。（中略）木の葉蝶の問題は、もっともっと研究する所が出て来たので見合わせる積もりだ。（中略）東京は遊びに行くところがないのでほんとうに淋しい。公園に散歩に出ると、子供たちの事がすぐにあたまにうかんでくる。その時はほんとにやりきれない。なんとなしに子供達が淋しくしている事が思い出されて困るので図書館に引っ込んで一日をくらすのだ。

この手紙の中に、親族の問題を解決するために台湾に行く必要があるが、船の便によっては台湾経由で八重山に帰るかもしれないということにも触れている。また、シゲさんの話では、台湾行きを考えたのは、台湾在住の南島史研究家の須藤利一や昆虫研究者の楚南仁博にも会いたいと考えていたのではないかという。次に紹介する手紙の文面を読むとわかるように、ツトムはぎりぎりまで鹿児島発那覇行の船に乗って帰郷するか、一度台湾に渡航してから帰郷するかを迷っていたようだ。

さらに、この手紙の文面からは、ツトムが出版を考えていた本は、主にコノハチョウについて扱ったものを想定していたのではないかということがわかる。また、先には1943（昭和18）年中に出版をしたいといっていたものの、この手紙ではもう少し執筆に時間をかけると、考えを改めている。

## 最後の手紙

○1943（昭和18）年2月28日

明日は3月1日と云う。1日から4日まで試験だ。小包で本を送ったから、なるべく開かないでそのままにして下さい。もし開いても一か所において散らさぬようにお願いいたします。全部で拾個です。（中略）3月10日夜行で東京を出発。伊勢参宮して、京都帝大、広島文理大、九州帝大に種々の用を済まして15日までに鹿児島着予定。遅くとも3月中には八重山につく予定です。子どもたちの笑顔を見たい。お体を十分気をつけよ。安産の報せ、今日か明日かと電報をまっている。取り急ぎ右まで。

これが、ツトムから家族にあてた最後の手紙となった。このとき、シゲは4番目の子供を身ごもっており、出産期を控えていた。ツトムは手紙の中で、男の子だった場合と、女の子だった場合のそれぞれの名前の案を示していた。シゲさんによると、子どもが生まれたので電報を打ったが、すでにツトムが東京を離れた後で、電報はツトムには届かなかったという。また、生まれたのは女の子で、ツトムが手紙で書き送ったとおり、才子（ちえこ）とつけられたのだが、結局、ツトムは生前、生まれてきた娘と会うことはかなわなかった。

なお、このときの訪問の時のことを指すと思われるが、大島は、ツトムが自分の家にも訪れてくれたのだが、思うだけの歓迎もできずに別れてしまったと書いている。

この後、ツトムは手紙に書かれていた鹿児島発の沖縄行きの船ではなく、3月14日、神戸から門司港を経て、台湾に向かう大阪商船所属の高千穂丸（8154トン）に門司港から乗船した。門司では偶然、満州の気象台に赴任する途中の後の作家、新田次郎（本名：藤原寛人）と会い、別れを惜しんだという。このエピソードは、戦後になって、新田が気象業務で来沖した際に、ちょうど研修中で沖縄島に滞在していたマサキさんと会い、マサキさんがツトムの次男であることが分かったため、新田が話したことだという（新田とツトムは東京電気学校の先輩・後輩の間柄でもあったという）。

1943（昭和18）年3月19日。

ツトムが乗船していた高千穂丸は、台湾・基隆沖約50キロ付近でアメリカの潜水艦キングフィッシュの雷撃により撃沈される。

乗船客の中で生き延びた人の回想（三重県津市の田中秀文氏著「平和のいしぶみ・高千穂丸遭難記」による）によれば、撃沈時、波は静かだったが、何時間たっても救援の船は現れず、やがて春先の低い海水温が体温を奪い、さらに徐々に波も高くなり、人々の命を奪っていったのだという。乗員乗客1089名のうち、救命ボートに分乗するなどした245名は、2日後に漁民に救出された。しかしツトムは、他の多くの乗客と同じく、船と運命を共にする。それと同時に、2月1日付けの手紙でツトムが執筆の意思を表していた「動物に関わる」本は、ついぞ、出版されることはなくなった。

# 第3章　継いでいくものたち

石垣島地方気象台構内の岩崎卓爾胸像

## マサキさんの思い出

マサキさんの家で、コーヒーカップを前に、タバコの煙を吐き出しつつ話すマサキさん自身の思い出を聞く。

「高校を卒業するとき、校長が気象台の職員採用があるから、おまえを推薦するがどうだ？　というんだよ。ただ、僕は最初断ったんだよ。ところがうちは母親一人の家庭だろ。そのとき兄貴が東京の大学に行っていて、お袋が、仕送りが大変だから、兄貴が大学終わるまで、気象台に行ってくれと僕に頼むわけさ」

ツトム亡き後、母子家庭となった正木家は、シゲさんの手で切り盛りされた。シゲさんによれば、結婚前、東京の洋裁学校に通っていたため、和裁と洋裁が身についていたことが幸いしたのだという。しかし、家計は苦しかった。マサキさんは中学生時代、南米に渡って農業をしようと仲間内で語らったり、鉱石への興味から鉱山技師にあこがれたり、はたまた高校時代に演劇に出演したことから役者への淡いあこがれを抱いたりしたこともあったという。しかし、高校卒業後、いやおうなしに気象台に就職をせざるを得なかった。

「ところが気象台に行ってみたら、仕事が楽しくてやめられなくなってしまってね。僕が高校を卒業するときは、新卒が４名採用されたんだが、ちょうど、西表島測候所が創設されて、僕以外はみんなそこに赴任だよ。僕だけ特別待遇で、石垣島勤務。うちが母子家庭という状況があって、たとえ行きたいと思っても、なかなか僻地に行かせてくれなかったんだよ。そうすると、なんだか自分だけえこひいきされているみたいで、居心地が悪いだろ。それで与那国島測候所が創設されたとき、誰も希望者がいなかったんだよ。新採用が二人行く。少し経験があるものもほしいと。それで希望したわけさ。最初は、〝おまえは除外〟と言われたよ。でも、どうしても行きたくてね」

石垣島地方気象台のホームページに掲載されている「石垣島地方気象台沿革史」によれば、西表島観測所（後に西表島測候所）が開設されたのは、１９５４年。また、与那国島測候所はツトム亡き後、１９４４（昭和19）年１月31日に開設され、戦後の１９４６年11月３日に閉鎖、のち１９５６年に再開されている。

「戦争中、与那国島測候所を設立しようという計画があって、那覇まで資材はきていたんだ。それが空襲で焼かれてね。親父は与那国島測候所の所長になることが決まっていて、辞令をもらっていたわけさ。親父は石垣島の測候所から東京に研修にいって、幹部職員の研修を受けて、こちらに戻る途中の昭和18年３月19日に、台湾沖で乗っていた船が潜水艦に攻撃されて沈んで亡くなった。こうしたことがあるから、与那国にはどうしても、行きたかったんだよ。結局、22歳から30歳まで与那国に行っていたよ。一度、石垣に戻って、復帰後に今度は所長としてもう一度、与那国に赴任してね。そのあと、宮古、那覇にも行って、最後の一年は南大東の台長をしたよ。こうして振り返ると、ずいぶんと長い41年間の気象台勤務だったな」

こうして、マサキさんは、ツトムの後を追うごとく、高校卒業後、長く気象業務に携わる人生を歩んだ。

川平への道

個人的な話になるが、マサキさんの元を何度も訪れるうちに、僕におきた小さな変化がある。それはコーヒーを飲めるようになったことだ。僕はマサキさんのところを訪ねるようになるまで、まったくコーヒーを受け付けなかった。ところがマサキさんはコーヒー好きだ。最初に家を訪ねた時から、話を聞く時は、有無を言わさず、コーヒーが出された。せっかく貴重な話を聞くことができるのだからと、「飲めません」という言葉を押し込んでコーヒーを口にした。マサキさんは話の合間に車に僕を載せて、石垣島のあちこちを案内してくれたのだが、このときも休憩時に自動販売機から缶コーヒーを買って僕にくれる。大変なことになったと、最初は思っていたものの、不思議なことにいつのまにか、コーヒーを受け付けるようになっていた。今や、朝、昼、晩とコーヒーは欠かせない習慣になってしまった。卓爾が有無をいわさず、ツトムや長宣に、虫を取らせたり、歴史や文化を調べさせているうちに、二人ともそうしたことがすっかり身についてしまったというのと比べると、あまりに小さな習慣の変化なわけであるけれど。

ともあれ、コーヒーを前に、タバコを手にしたマサキさんの話は多岐にわたる。

「真珠養殖を始めて成功させたことで有名な御木本が、戦前、石垣島でも、真珠養殖を試みて、岩崎さんに管理させていてね。それをのちに、九州大の大島広がもらいうけて臨海実習場にする計画があったようだけど、戦争でうやむやになったんだよ。今の川平の真珠養殖は、戦後、あらためて始められたものだよ」

そんな話をしばらく聞いていると、マサキさんは「じゃあ、外に行こうか」と僕に声をかけてくる。話をしているうちに、話に出てきた場所を実際に僕に見せたくて仕方がなくなってくるのだ。ツトムは動きっぱなしの人であったかのような印象があるが、マサキさんはその血を引いているように思う。

外へ。季節は夏。天気はよい。クマゼミの声がやかましい。

「できるだけ、イワサキさんが歩いたであろう道のりをたどるか」

マサキさんがそう言って、軽自動車をスタートさせる。先ほど話に出た真珠養殖場が、今日の目的地だ。「桃林寺の前を通ったんじゃないかな」そう言いながら、卓爾の頃からある道を選んで車を走らせる。川平まで14キロの表示が見える。

卓爾が亡くなる前年、1936（昭和11）年の10月、卓爾は川平にある真珠養殖場に歩いて出かけている。卓爾の家である袋風荘から片道22キロもの道のりだ。

谷の『台風の島に生きる』のこの時の様子を書いた箇所を引いてみる。

「川平への途は、バンナ岳と万勢岳の鞍部を超える近道を利用して名蔵に出、それから海岸伝いに歩き、崎枝から山腹をまわって川平へ至るのだが、崎枝から川平へ抜ける山道は〈乙女転ばし〉と卓爾が命名したほど、足もとの悪い急な山道である」

川平からの帰り道、名蔵から四箇に戻るには名蔵川を渡る必要があったが、河口部は名蔵アンパルとよばれる広い干潟であり、橋がかけられていなかった。そのため、当時の人は、潮が引いたころを見計らって歩いて渡っていた。卓爾は川平からこの名蔵河口をわたり、バンナ岳への坂道を登る途中で倒れているところを島人に発見された。

「このあたりが岩崎さんの倒れていたあたりだよ」

マサキさんが、バンナから名蔵へ下る坂道の途中で、そう教えてくれる。

「昔はずいぶん暗いところで、そこを夕方通るというのは大変なことだったと思う」

やがて、アンパルと呼ばれる名蔵川河口に広がる広大な干潟へ。今は橋がかけられているが、先に書いたように、卓爾のいた時代には、橋はなかった。

「昔は、潮の満ち引きを計算して通ったのよ」と車に同乗しているエミコさんが言う。

「今日は満潮だな。護岸が作られていなかった時代は、ヒルギ林の中を通っていたわけだから、道はとっても悪かったはず。難所だったと思うよ。新川からここまで、まったく人家がない。潮のかげんで、海岸を歩いたり、陸を歩いたりして通ったんじゃないかな」

また、名蔵湾を渡ったあたりは、マツがうっそうと茂っていたのだという。それを、トゥマタマツと呼び、「トゥマタ節」という民謡にも歌われているとのこと。

「どういう意味かねえ」

エミコさんは、そう言って「シターリヨーヌ、ヨーヤナウレ」とその民謡のはやしの部分だけを口ずさんだ。

卓爾の時代とは、おおまかな道筋は変わらなくとも、周囲の様子はだいぶ変わってしまっている。何より、僕らは車に乗っている。川平まで歩いて往復する大変さは、到底、実感しがたい。それでも、居間で話を聞くだけでなく、こうして実際に見て回るのとでは、得られる情報が違ってくる。

名蔵を超えて、崎枝に到着した。駐車場に車を停める。

「ここらもマツが生えていてね。戦争中に、ここのマツを切って防空壕のささえにしたんだよ。終戦後は薪にしたり。あと、桟橋も作って。桟橋を作るときに、マツの丸太の杭を打ち込んだ。戦争中に、市内の石垣もくずして荷車で運んでね。昔は石垣は高かったんだけど、この高さを半分にして、それを軍に供出したわけ」

「戦争は本当に不条理だから」とも、マサキさんは、ぽつりと口にした。

崎枝から川平に行く手前に、ヨーンと呼ばれる一帯がある。

「ヨーンは闇という意味だよ。昼間でも暗かったから、そんな名前がつけられたわけ。今は二次林の明るい林になっちゃっているけれど」

10時に川平に到着した。今は新しい黒真珠の養殖場があるが、ここに戦後しばらくまで、御木本の真珠養殖の小屋が残っていたという。

「真珠養殖では、真珠貝を籠にいれて海に沈めるんだけど、岩崎さんからもらったのかな？　うちの鶏小屋に、この籠を使っていたんだよ。籠が何枚もあったよ」

マサキさんが、そんな話をしてくれる。

川平には、フクギの並木がある。

「こういうのを見ると、昔の石垣みたいだなと思うね。おもかげが少しだけ残っている。今と昔では、墓も変わってしまったから。昔はコンクリじゃなくて、墓は石でできていたから。あと、せいぜい、しっくいを使って」

この日は、いい天気だった。

「ほんと、空が青いな」とマサキさんが言う。「気団によって、天気が違う。1～2月のシベリア気団のときは、強い季節風が吹く。そのあと、揚子江気団。今は小笠原気団。この気団のときでないと、こんな天気にはならない。7月いっぱいだね。それを過ぎると、赤道気団がきてね、すると、こんなに見通しはよくない。9月になると、またこの気団が戻ってくる。このころは太陽高度が低くなるから、だんだん涼しくなって。10月初旬のか寒露のころ、サシバが渡ってくる頃には、北からの季節風が吹き出す…」

こうした話がすらっと出てくるのが、さすが気象人だ。

川平からの帰り道、車を走らせている途中、「今のはヤエヤマムラサキだったんじゃないか」とマサキさんが言って、車を急停止させた。迷蝶らしき姿が目に入ったのだ。こうしたことに備え、車中には捕虫網も常備されている。一度、すくいそこね、エミコさんに「へたっぴ」と言われつつ、無事、ネットイン。

「チョウが少なくなったよ」とマサキさんが言う。

「最近、ハブを本当に見ていないわね」とエミコさんも言う。

「ハブは去年から全く見てないな」とマサキさんがうなづく。

八重山に生息するサキシマハブは、沖縄島や奄美大島などに生息しているハブに比べ毒は弱く、咬まれても死ぬことはほぼない。しかし、卓爾が１９０６（明治39）年に中央気象台に送った報告には、ハブの多さに関して書かれた次のようなものがある。

　石垣島由来毒虫ニ乏シカラス、就中ハブ蛇ノ繁殖力ノ強烈驚クヘキカナ。明治30年5月ソノ駆除ヲ企図シ八重山警察署ハ一頭金５銭ヲ以テ買上クル規定ヲ設ケタル以降全39年12月末日ノ買取総数２０７８７當（明治30年ノ５９１當ヲ通計セス）ナリヌ。本所構内ニ於テ捕獲セシハ本年僅カニ６頭ナリト雖モ出現ノ場所ハ露場或ハ石垣或ハ正門且ツ其時刻ヲ同ウセザルハ憂フヘキ也～（以下略）

「イワサキコノハは見たことがないな。チョウもおもしろくて。与那国にいるとき、シロミスジというチョウを見つけて。それまで見た

サキシマハブ

ことがなかったチョウだったよ。だから最初に見た時に、新種だと思って。でも、昆虫マニアはすごくて、そのときはもう報告されてた。調べたら、前の年に、もう採集されていたね」

そんな話をしながら、マサキさんの家に戻った。

「コイナーというのは、2、3月、雨降りの夜、南のほうから渡ってくる瑞鳥なんだよ。昔の人はたいまつをたいて迎えたらしい。ここが陸だよと。これは、クイナではないよ。ギャギャギャーって鳴くんだけど、シロアジサシなんだよ。どうしてアジサシが街の上を飛ぶのかなあと思うが。その時期だけとおるんだよ。昔は灯りとかなかっただろうに。渡り鳥ではあるけれど。今はもう、みんな、そういうことは忘れてしまって」

家に戻ると、また、こうした話が始まる。マサキさんは、この話を口にしながら、本棚に置かれている『岩崎卓爾一巻全集』を取り出した。その本には、赤い付箋がたくさん張り付けられている。

マサキさんが口にしたコイナーの話は、『岩崎卓爾一巻全集』に収められている「石垣島気候篇」に書かれている。これはもともと、1927（昭和2）年に気象の雑誌に卓爾が発表したものを、あらためて中央気象台が発行した小冊子である。その中に、石垣島の各月の気候の状態を生物季節や、島に伝わる気象に関する用語、季節と関わる伝承なども交えて解説しているところがある。そのうちの3月の項に、「下旬夜陰細雨に乗じ〝クヒナ〟（地方名平均期日二十二日）渡る。農家にては、〝南の島（パイナーラ）〟より豊年の神の先駆を承る瑞鳥として松明を以て之を迎ふ」という記述がある。マサキさんは、さっそく、この記述を読んで、「今でもそうだ。天気の悪いときにくるんだよ」とうなずいている。

マサキさんの家を訪れると、こんな風にして一日が過ぎていく。

卓爾が島の気象や自然全般について書き残したことは、マサキさんにとって大きな指針となっている。

## 肌で感じる気象観測

秋のある日、マサキさんの家をたずねると、さっそくマサキさんはこんな話をしはじめた。

「昨日、今日、吹いている北風はミーニシと呼ぶべきなんだよ。秋の入りなんだよね。気象に関する言葉も全国共通になって、地域の特性に注意しなくなってきた。おそらく岩崎さんが『八重山気候篇』を書き残さなければ、残っていない言葉も多いんじゃないかな。こうして記録があるから、僕が掘り起こしたりできる。秋の彼岸のころ、太陽高度が低くなってくるから、夏の暑さが残っていても夏が衰えた気がする。こういうときをスサナツ…白夏…と呼ぶんだ。移動性高気圧が小笠原気団に覆われたのが、揚子江気団に代わる。前線はたいしたことない。通り過ぎた時に、朝夕、ちょっと涼しくなったというかんじ。小笠原気団のときは、影に入っていても暑かったのが、そうではなくなる。で、なぜ白夏なのかというと、白むというのは、衰えるという意味もあるんだよ。昔の人は、微妙なそういう変化を感じ取っていたわけだ。秋の風は白いんだよと。四季に色を付けるとしたら、春は青で、夏は赤。秋は白で冬は黒。ただ、沖縄には春と秋という言葉はないね。ハルといったら畑のことだから。もともと、春、秋という言葉はなくて、短い冬と長い夏というのが沖縄の季節。だから、秋になったというのは白夏で、春は、うりずん・若夏というんだよ。今はコンクリの家の中でクーラーをつけていて、微妙な季節の変化をかんじられなくなっている」

マサキさんが卓爾の書き残したことに強い興味を覚えるのは、むろん、自身も長く気象観測に携わってきたからだ。

「気象観測、我々のころまでは命がけということがあった。そこで、肌でかんじることがあるわけ。風、気温、雨の強さとか。今、それはない。計測は自動化されているから、部屋の中にいて、気温何度ってわかるわけで。我々のころは、外にでて〝これはなんだかおかしいぞ〟と感じることがあった」

実際、マサキさんは、高潮の観測中、波にさらわれそうになったことがある。また、１９６０年の大きな台風観測時には、マサキさんが勤務していた与那国の測候所の窓ガラスを、隣家から吹き飛ばされた瓦が突き破り、風雨が吹き込む中で必死に計器を守ったという話もしてくれたことがある。

「今は、外に出ても、感覚がないはずだよな。観測時に、目盛りを読むこともないし。じつに心配だなあ。例えば、雲の変化に、気象の現象があらわれているんだよ。雲の観測については国際的に決められている。昔といっても、2、30年前は、雲のたくさん種類を見分けて、記載することになっていた。今は雲の観測、簡略化されちゃっているけどね。雲の観測は一番難しかったんだよ。雲の写真集を出してきて、それと首っ引きでやるんだよ。国際雲図帳に細かく説明が書かれていて。それで、変わった雲を見ると、これは変種だと。生き物にも変種ってあるでしょう。以前は、雲にも変種があったんだよ。変種の雲がでたときに、天気が急変したりするんだけど。今は雲の変種なんて見分けていないからね。雲の高さも推定で下、中、上層と、だいたいこれくらいと書く。流れてくる方向や、流れ方が早いか、遅いかも。今はそんな観測をやらないよ。だから、僕からしたら、今の気象観測の記載はつまらないね」

計器が進歩して、気象観測から体感が失われつつあるだけでなく、気象台の業務も、「気象の観測」に限定されてしまってきていると、マサキさんは話をつづけた。

「岩崎さんは、測候所に〝あれ、何ですか〟と聞きに来た人に、いちいち、説明をしていたんだ。これ、自分で勉強をして教えたんだろうな。そうしたこと、戦後まで、気象台に受け継がれてきた。〝こんな鳥がいたんですが、何ですか〟とか、そういうことが気象台にもちこまれた。僕らのころもあったよ。そうしたことがなくなったのは、１９７２年の本土復帰後だね。今は縄張りがあるだろ。〇〇は天文台にまかせよとか。〇〇は海上保安庁にまかせよとか。それで、誰も余分なことは勉強をしなくなったよ。金星とかがでていると、〝この星何？〟と質問がきたりする。そうした質問、気象台の職員だって、いくらでもこたえられるはずなのにね。実に味気なくなっている。これ、自分で自分の首をしめているようなもんじゃないかな。

復帰前はよく電話がかかってきたよ。その頃は現業室で対応していたけど。糸満の漁師が直接、気象台に聞きにきたり。糸満の方言で、舟をこっちへやったほうがいいか、陸に揚げたほうがいいかとか聞きに来る。だから、台風情報の中にも、舟を避難させよとか書いたりしたんだ。ただし、これは怒られたね。内地出身の予報官に、〝田舎者にはわからんかー〟と。〝我々は台風がどこどこにあるといえばいいんだ〟と。〝舟を避難させるかどうかは海上保安庁の仕事だ〟って。

夏休みの終わりごろには、子どもの保護者から電話がかかってきてね。ある時は、おばあから、〝兄さん、すみませんけど、孫の夏休みの宿題で、竹富の人口は何人か知りたいんだが〟って電話がかかってきてね。〝役場に聞いたらいいさ〟というと〝明日、宿題をださんと、いけん。役場に聞けんから兄さんに聞いてる〟って。これ、夜の11時、12時にかかってきた電話なんだよ。それで、町勢要覧みたいなのを調べて、わかったから教えてあげて。

高校生が〝明日、化学の試験があるけど、鉛の原子番号は何番？〟と聞いてきたりしたこともあったな。これも、理科年表調べれば、何分もかからんよ。こうしたことが、住民とのつながりだと思うんだが。ある時はよ、望遠鏡を買ってもらった子供が金星を見てみたんだよ。そうしたら三日月になってて、これ、大発見と思って、電話をかけてきたんだよ。〝おじさん、あっちにみえる星、なんていうの？〟って。それで、〝金星だよ〟って答えたら、〝星じゃないんだよ。三日月になっているんだよ〟っていうわけ。それで、なるほどなあと思ってね。〝金星と水星は、月みたいに満ち欠けするんだよ〟って教えてあげてさ。なぜかというと、水金地火木……っていう順で惑星が回っているからって話をしてあげたわけ。そういうこともできたんだよ。

岩崎さんのころは、測候所を地域の人が頼りにしていたんだと思うよ。そうした結びつきは、岩崎さんがいた石垣では特に強かった。こんなふうに測候所と地域の交流があると、みんなが博学になっていくわけだよ。それがまったくなくなる。お役所になっていっちゃう。昔は気象台はお役所ではなかったんだけどね。岩崎さんは科学者として、島にやってきた。戦前、中央気象台の台長を勤めた岡田武松もそういう人であったと思うよ。石垣気象台でいうと、宮良孫好さんとか、北村台長もそうだったなあ。科学的知識を普及啓もうすることが大切だって思っていた人たちだね」

若いころのマサキさんが所員として赴任したときの、与那国島測候所長が孫好さんだった。マサキさんによると、卓爾は台風が来ると民家をまわって、台風対策を直接呼びかけて回ったという話が伝わっているけれど、孫好さんは、まさにその「伝承」を思わせる行動を与那国島でとっていたのだという。台風情報を電話で役場に送って、それを有線で流すわけだけど、それじゃあ遅いといって、所長自ら役場や消防、警察に走って知らせに行っていた……というのだ。「こうした親切さは、岩崎さんの影響じゃないかと思う」とマサキさんは言った。

孫好さんの話

マサキさんの紹介で、気象台を退職後、那覇に居住していた宮良孫好さんのお宅におじゃまして、話を聞くことにした。

「僕は昭和15年に中学を卒業して、その年に東京に出ました。船で出るのですが、大変でしたよ。その頃は、大きな船がつけるような港がなかったから。それで、はしけでまず沖合に停泊している船に乗り込んでね。波のあるときなら、乗り移るのも怖かったです。那覇から鹿児島までは二泊三日。鹿児島から東京までは、今度は列車で二泊三日です。当時は東京から石垣まで荷物を送ると、丸一年かかったりしました。それでも、届いただけ運がいいとか。東京では、目黒の通信大と、気象台の専修科の両方を受験しました。結局、気象台の専修科は給料があるというので、そっちに入りました。月給は18円ぐらいだったと思います。でも戦争中のことですから。現地で実習を早めにすることになって。すぐに養成する……と、一年で卒業。一年は東京の予報科で勤務しました。そのころ、食べ物がないので、体に無理がきたのか、結核の疑いがでてしまいました。これでは無理ができない。当時の予報課長が結核に詳しくて、〝君は宮崎の霧島温泉の測候所か、伊豆の三島の測候所にいかんか〟と行ってくれたんです。でも僕は〝石垣に行くならいいですが〟といったら、発令が降りて、石垣に戻ることになりました。僕はこういうことで、若くて技手になったんですが、石垣には、僕よりも年齢が上の先輩でまだ技手になっていない人もいたので、当時の所長は僕が石垣にきたことをあまり喜びませんでしたね」

孫好さんは、自身の気象人としての道のりを、そんなふうに語ってくれた。

「石垣では、測候所で天気予報もしながら、白保にあった軍の飛行場にも勤務して、南方へ飛んでいく飛行機の航空予報をしていました。戦闘指揮所で予報を説明していたわけです。で、零戦が飛ぼうとしていたら、敵機が来て、零戦がみんなやられてということがあって、これで戦争が本格的になっているとわかって。僕は、終戦も石垣島の測候所です。

戦争中、測候所に建てられた岩崎さんの銅像は、アメリカ軍の飛行機の機銃弾で打ち抜かれたんですよ。そのとき、岩崎のウシュマイは、なくなられたあとに、もう一度、なくなられたなと言っていました。この傷はその後、補修しましたが、岩崎さん、グソー（後生）に言ってなげいておられるかもと言っていましたね。戦争中の金属供出でお寺の鐘も、持って行かれたりしたのですが、岩崎さんの銅像だけは測候所にそのまま、残っていたんです」

卓爾の胸像は、１９３３（昭和8）年に建てられ、今も石垣島地方気象台構内に設置されているのを見ることができる。『岩崎卓爾一巻全集』の卓爾の年表の中に、この胸像について、長宣が書き残しているエピソードが紹介されている。それによると、卓爾は生涯を和装ですごしたのだが、胸像建立に際しては、制作者のほうから洋装の写真を送れという要求があり、他から借り受けて洋装を身にまとい、写真を撮って送ったというエピソードだ。

「終戦後、新しくできた与那国の測候所に所長として赴任することになりました。与那国島の測候所は、最初、電話もありませんでした。おまけに、部落から1、2キロも離れているんです。天気予報を出すときも、電話がないから、町役場へ走っていって、それでラジオで流してもらうなんていうことをやっていました。当時、電話は島に4カ所しかなかったんです。郵便局とかに。ちょうど、高等弁務官が与那国に来たときに台風で2週間ぐらい船が止まったことがあって、このときに、測候所に電話がないと困ると訴えました。結局、これで電話がひかれることになりました」

孫好さんの話からすると、孫好さんが役場に走って行ったのは、親切心もさることながら、第一に測候所に電話がなかったことによるようだ。

ただ、孫好さんは、確かにマサキさんが言うように、外部との様々なやり取りに真摯に応えようとする姿勢を持ち合わせていたように見受けられる。それが孫好さんを生き物の世界へとも結びつける。こうしたことからすると、やはり孫好さんにも卓爾の影響がかなりあるといえるかもしれない。

「僕は一中時代も、夏休みの宿題に、昆虫採集や植物採集を、まあまあ、やっていました。ただし、なぜ、僕が気象台に入ってから、生物のことをいろいろとやり始めたかというと、気象台におると、聞かれるわけです。終戦後のことですが、ラジオが、今、どんな植物が咲いているかとか、僕のところに聞いてくるんですね。サクラの花はいつ咲くかとか。それでサクラの開花季節を調べるようになりました。沖縄島のサクラは、北部のヤンバルで咲き始めて、1月中旬に満開になって、しだいに南下していきます。本土の場合は、サクラは鹿児島から咲き始めて、開花前線は徐々に北上していきますね。でも沖縄のサクラ前線は南下するんです。このとこは、僕がいい始めたことです。石垣では4月まで咲くことがありますよ」

沖縄には、本土で見られるようなソメイヨシノは見られない。代わりに花の色が濃く、咲く時期も早いカンヒザクラがよく植栽されている。サクラの開花は、一度低温の時期をすごしてから、暖かな日がつづくと、それによって花芽が成長するようなメカニズムになっている。そのため、一般のサクラの開花前線は南から北へ移行していくのだけれど、沖縄の場合は、早く「寒い」環境におかれる、沖縄島北部のサクラのほうが、沖縄島南部や八重山のサクラよりも開花が早いのだ。この現象に初めて気づいたのが孫好さんだったわけである。

「マスコミは気象台にこうしたことを問い合わせてくる。しかたがないから、調べなくちゃいけない。そうしている間に、生物関係をやらざるを得なくなりました。満潮や干潮もききにこられましたね。その当時は、〝満潮の時に子どもが生まれるのが多くて、干潮時に死ぬ人が多い〟とよく言っていたんです。でも統計をとったら、これはあいません。こうして、いろいろ調べていたら、どうも一つ一つは、雑になってしまったところはあります。素人的にやらざるを得ないことがありましたから」

しかし、そうした姿勢が、ある発見に結びつく。孫好さんは、新種の生き物に自分の名がつくことになったのだ。

「僕が与那国の測候所にいるときに、琉球大におられた高良鉄夫先生が、与那国の昆虫やヘビを送ってくれ、見つけたら、全部送ってくれというわけです。それで、送ったら、ヘビの新種を発見することになりました。このヘビは、測候所構内の植木を移動しようと穴を掘ったときに、たまたまそこにいたんですよ。そのヘビを送ったら、〝これは珍しいな〟と言われて。このヘビは、調べてみたら、与那国ではディートゥガラと呼ばれていました。ディーは土、トゥカラはヘビという意味です。これが高良先生の研究で新種となって、ミヤラヒメヘビという名前になりました。ヨナグニシュウダも捕って、高良先生に送りましたよ。僕の捕ったものが、ヨナグニシュウダの記録では一番大きいんじゃないかな。普通は1メートル50センチぐらいと思うけど、僕のは2メートルありましたから。与那国ではヨナグニシュウダはンダトゥガラといいます。ンダはわきがのことです。このヘビは、捕まえると臭いんです」

こうして、卓爾に始まる、測候所職員の名前に由来する生き物の名は、ツトムを経て、孫好さんの代まで続くことになった。

「ヨナグニサンについても高知の昆虫の先生の、岡部正明先生と一緒に調べたことがあります。幼虫から飼育していて、さなぎが羽化しそうになって、岡部先生を呼びました。岡部先生、みんな写真を撮って。その写真を使って、岡部先生がヨナグニサンの生態を発表しました。ヨナグニサンを飼ってたとき、家の中で飼育していたので、幼虫は放っておくと家中に散らばってしまいます。それを家族がいやがって。それで、たらいに水を入れて、そこにビール瓶をいれて食草のアカギをさしこんで、その食草に幼虫を這わせることにしました。こんなインスタントの飼育装置、自分で考えたんですが。幼虫を養っているときに、本土から岡部先生がやってきて、一緒に計測をしたりして。そうしてマユを作って、羽化したものを、また、先生が写真を撮ったわけです。マユ作りの様子も詳しく見ました。何日で羽化するかこのときはわかりませんでしたから、霧吹きでときどき、マユに湿度を与えて。

こうして飼育したヨナグニサンのひとつが、雌雄同体だったんです。これは岡部先生にさしあげました。でも、先生、発表していませんね。ヨナグニサンのメスの触角は細くて長い。オスは太くて短い。それが、

ヨナグニシュウダ

一匹の体に両方あるわけです。ヨナグニサンの触角を見ると、八木アンテナそのものだと、よく言ったんですよ。昆虫研究をもっと前から一生懸命やっていたら、八木アンテナは、僕でも発明できたかもしれないと。与那国島のトンボについても、どんな種類がいるかといったアウトラインぐらいだったら、わかります。琉球大学の池原貞雄先生には、与那国島のシロアリを捕って送りました」

孫好さんのこうした経験は、卓爾やツトムと重なるところがあるように思う。

戦中から戦後へ

マサキさんの車の中には、捕虫網が常備されたりしているわけだが、マサキさんの虫への興味はツトムから直接伝授されたものではないという。何しろマサキさんは、幼少期、ツトムに昆虫採集に連れて行ってもらったことがない。

「兄貴はよく山に昆虫採集に連れていってもらったんだよ。ところが僕は体が弱かったらしい」

マサキさんは、そう言う。実際、喘息の気味があったらしく、空咳を

ヨナグニサン

していた。そのため、「小学校2年のとき、薬と言って、ヤーマルコーザー（セマルハコガメ）を食べさせられたんだ。切って、腹甲をはずして、中を取って、足を切って甲羅の中に入れて、甲羅を鍋にして庭で炊いたんだよ」という記憶もある。ただし「これ、おいしくなかった」とのこと。

「親父が山に行くときは自転車だったから、荷台には一人しか載せられないということもあったけど。親父と兄貴を玄関先で見送っていたのが、僕は悔しくてね。兄貴は帰ってくると、山からグミとかフートー（フトモモ）の実だとかを持ってきたり、山の話をするわけ。それで僕は山にあこがれてね」

しかし、結局、ツトムの後を継ぐ形になったのは、「兄」ではなくてマサキさんであった。これは天性の好みや素質のようなものも関係しているだろう。ひょっとすると、幼少期に山に連れて行ってもらえなかったからこそ、その欠落感が、マサキさんを自然への興味に赴くよう、駆り立てたのかもしれない。

マサキさんはツトムの死を知ったときのことを次のように書いている。

「午前中に那覇から船が入るというので、兄と二人で桟橋に迎えに行った。父の姿は見えなかった。ぽかぽか陽気。歌った歌は〝今年も軒にやってきた燕に〟という歌。正午前、門を入るとトシコおば（注・ツトムの妹）が、大きな声で泣きさわいでいた。父が遭難したという。兄が船が沈んだと教えてくれた。父が測候所前の海岸で、伝馬船まで背中にのせて泳いでいったことを覚えていたので、父は水泳上手で助かるだろうと信じていた」

戦争が、石垣島にも押し寄せてきた。

マサキさんは「日本の教育は怖いなあ。僕も予科練に行こうと思ってたからな」という。「ルーズベルト、チャーチル、子どものころは本当に憎かったから」と。

戦時中、外交評論家の清沢洌が後日の執筆資料とするべくひそかに書き記していた日誌は、「太平洋戦争下、豊かな国際感覚と幅広い交友をもとに当時の政治・経済状況や身辺の生活をいきいきと記した稀有の記録」と評されている（清沢　1960）。その清沢の1943年（昭和18）年3月4日の日記には、「各方面で英、米を憎むことを教えている。秋田県横手町の婦人会は、チャーチルとローズヴェルトの人形を吊って、女子供が出てザクリザリと突きさしていると今朝の『毎日新聞』報ず」とある。また、同じく3月11日の日記には、「アメリカは戦争で日本を屈服させるだけでは満足せず、日本人を皆殺しにするといっている」という識者の談話が掲載された新聞記事が貼られている。同年7月12日の日記には、ユダヤ人は排撃する必要があるという主張と共に、ルーズベルトが「日本を地球から抹殺する」と言っているという識者の談話を掲載している新聞記事が貼られている。戦時中の日本人は、こうした偏った情報にどっぷりと漬けられていた。このような「日常」は、清沢がこうして記録してくれているおかげで、今、こうして目に触れることができる。

戦争が激しくなる中、ツトムを失った正木家は、親戚のいた台湾へと疎開することになる。

「戦時中、台湾に疎開したよ。叔父のいる台南に行ったんだよ。ついたら、すぐ防空壕を掘ることになって、掘っているときに、空襲警報。この時、はじめて空中戦を見たんだよ。B29に比べると零戦がハエみたいな大きさに見えてね。台南の学校では、ヒマ作りをしたな。運動場をすき返して、飛行機の油用にヒマを栽培して。ヒマの種とりをしているときにマラリアにかかって。マラリアにかかると、寒くて、震えて止まらなくなるわけ。先生が気分が悪いんなら帰りなさいといって、帰ったら意識不明さ。気づいたら夕方だよ。三日おきに熱がでるのが、1ヶ月ぐらい続いて。マラリアの薬といって、体をあたためるからと犬を食べたよ。

台南で、敗戦になってね。戦時中、日本人は中国人をいじめていたから、戦後は逆にいじめられたな。兄貴はなぐられていたし。台南から基隆に貨車で送られて。そこに1ヶ月いたよ。ここで初めて米兵みたんだよ。ジープに乗っていて、かっこいいわけ。これを見て、戦争に負けたのを納得したよ。基隆で船を待っていて。21年の1、2月ごろに、ようやく石垣行きの船に乗ってね。それが20トン足らずの漁船で、やっと石垣にたどりついて。

早く家に帰りたいと思って歩いていくだろう。道に草が生えていてね。家についたら、家はあったけど、もう、廃屋だったよ。道の途中で友達にあったら、けんかの強いガキ大将だった男が、返事ができないくらい衰弱しているわけ。目もうつろで、腹もふくれていて。親戚の中には、疎開船が遭難して、尖閣列島に流れ着いた人もいるよ。うちの叔母さんは、7月の上旬、かんかん照りの青空があるでしょう。あれを見きらんというわけさ。空襲を思い出すと。叔母さんは、今も戦争の話できないでいるよ」

沖縄島と違って、地上戦のなかった石垣でも、さまざまな「戦争」が人々の上にのしかかった。

「家にはハブの標本やら、いろんな標本があったんだよ。でも19年に台湾に疎開して、戻ってきたら、爆撃を受けてて、家は建ってたし、燃えてもいなかったけど、爆風で戸が飛ばされて雨が吹き込んでいたし、雨漏りもしていて、本とかはだめになってた。標本ビンも割れて、中身が腐ってて。だからこれをみんな埋めてね。親父は電気学校に行って。測候所がエンジンで自家発電を始めたので、その仕事をしていたろう。昼の間、エンジン動かして、電気を電池にためてという仕事をやっていたんだ。それで、親父は、古い電池のガラスに標本を入れてたんだよ」

ツトムが北海道から送ったクマの面は、疎開先の台湾にも持ち運ばれていて、無事だった。

## 歌のカニたち

かつて九州大学の大島が島に調査に訪れた際、その一行の中に、のちに甲殻類を専門とする研究者となる、若き学生の三宅貞祥もいた。その後、ツトムは三宅ともやり取りを続けた。ツトムの名前がついている生き物の一つに、マサキカニダマシがあるのは、そうしたことからだ。

１９７２年の沖縄の本土復帰の少し前、三宅は正木家を訪れ、ツトムの位牌に焼香もしている。また、正木家には、２０００年頃、三宅から送られた手紙も保存されている。そこには、「戦後十数名の大学院生のうち、８名が私の集めた標本を基本にして研究をして博士になりました。若いころたびたび沖縄に出張し、美しい自然を探る努力をしたことが私の人生だと思われてなりません。標本を手にするたびに任氏を思い出します」といった内容が書かれている。その、三宅とのつながりで、一時、マサキさんはカニをせっせと採集していたことがある。

大島広に『ナマコとウニ　民謡とサケのさかなの話』という著作がある。この本の中にも、戦前の八重山調査の様子が紹介されていて、「アンパルぬミダガーマユンタ」に登場する生き物の正体探しについての調査の様子と、その考察の結果が紹介されている。

「アンパルぬミダガーマユンタ」は、沖縄民謡といえばすぐにイメージする三線を伴奏に歌う歌ではなく、楽器の伴奏なしに、男女が掛け合う様式で歌われる、農作業の際の労働歌だ。例えば1番の歌詞を男性が歌うと、「ハーイヘー、またハーイヘー、またハーイーヤーヌー川主（かわぬす）」という囃子の部分を女性が唱和する。そして男女が交換し、続いて女性が2番の歌詞を歌い、男性が囃子を唱和するというものである。労働歌だから、曲自体は長いほうが、その分、気がまぎれる時間が長くなるので都合がいい。そのため、「アンパルぬミダガーマユンタ」には、何番も続く歌詞の中に、実にいろいろな生き物たちが登場する。それが、いずれも干潟で見られるカニなどの甲殻類だ。

マサキさんに卓爾が川平へと歩いた際のルートを案内してもらったが、その途中で行きあたったのがアンパルと呼ばれる名蔵川河口に広がる干潟だ。かつては、橋がかけられておらず、徒歩で渡るために潮が引くのを待つ必要があった。そうした待ち時間に、当時の人々は干潟にうごめくカニたちの姿を目にとめたのかもしれない。

それにしても、歌に歌われるカニは、それぞれその特徴にあわせて、歌詞の内容にあった役どころを受け持つことになっている。こうした島人の観察眼に、大島は興味をひかれ、その正体を調査することを思い立ったのだろう。ただ、歌詞に登場するカニは、特徴がはっきりしているためにすぐに何という種類であるかわかるものばかりではなかった。何という種類なのか、歌詞からだけでは判別が難しいものもあった。大島は、郷土史家の喜舎場永珣や、喜舎場の紹介による黒島直信老人（コブヒトデの採集者）などの協力で、それぞれの名を明らかにしていった。それでも、卓爾がまだ生存中だった、この時代ですらすでに、「多くの民謡が現代の青年層の間から忘れ去られていて、動物の方言などについては、ごく少数のもの好きな古老に頼るほか」はなかったし、「古老たちの間にも、言うところが一致しない場合があり、特徴の不明瞭な動物では方言の同定が怪しいことが少なくない」と大島は書いている。第一、歌の主人公であるミダガーマ自体、どのカニを指すのか諸説があるぐらいだ。大島はミダガーマはコメツキガニとしている。一方、ミダガーマはツノメガニであるとしている説もある（平田ら　１９７３）。また京都大学の生態学者である加藤は、出版した本の中で、ミダガーマをミナミコメツキガニとしている（加藤　１９９９）。ミダガーマは歌の主人公であること、潮の満ち引きで住処を移動しているということが歌われていること、目が飛び出ていること、歌詞の中にはミダガーマとは別に、ツノメガニのことを指すと考えられるパルマヤーカンが登場することなどから考えると、結局のところ、潮の引いた干潟に大群となっ

10mm

ミナミコメツキガニ

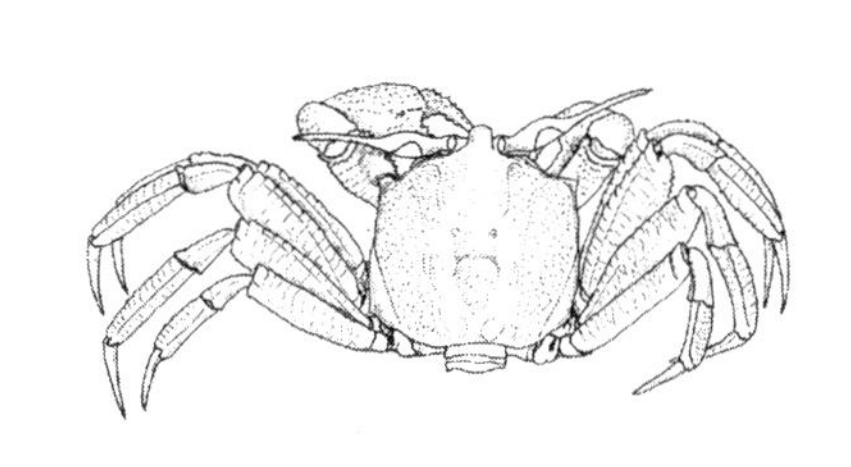

ツノメガニ

てあらわれ移動していくミナミコメツキガニがミダガーマの正体にふさわしいよう思える。

「アンパルぬミダガーママユンタ」は、アンパルに棲む、ミダガーマ（目高カニの意味）の生まれ年の祝いに、干潟に棲むカニたちがあつまり、宴会の準備をし、宴を催すという筋立てとなのだが、歌詞の内容を、大島の本から引くと、次のようだ。

「網張のミダガーマだそうな。潮が退いたら下の方の家へ。下の家は瓦葺きだそうな。潮が満ちたら上の方の家へ。上の家はカヤ葺きだそうな。ミダガーマの誕生祝なのでカニども総出の踊りがある。ギダーサカニは準備係。ダーナガニは桟敷を造る役。ピンギャーガニは笛を吹く役。キガランガニは太鼓打ち。ムミンピキガニは三味線を弾く役。ヤクジャーマガニは踊をする役。アブシンガニは狂言係。ツィナンガニは銅鑼打ち役。パダレーガニは棒踊りの役。フサマラーガニは獅子舞の役。ガーシメガニは料理係。ヤフツァンガニは神饌（乾魚）を調理する係。フノーラガニは配膳係。パルマヤーガニはお給仕役じゃ」（大島　1962）

（ちなみに、ここで大島は「カニ」または「ガニ」と表記しているが、方言では「カン」または「ガン」である。）

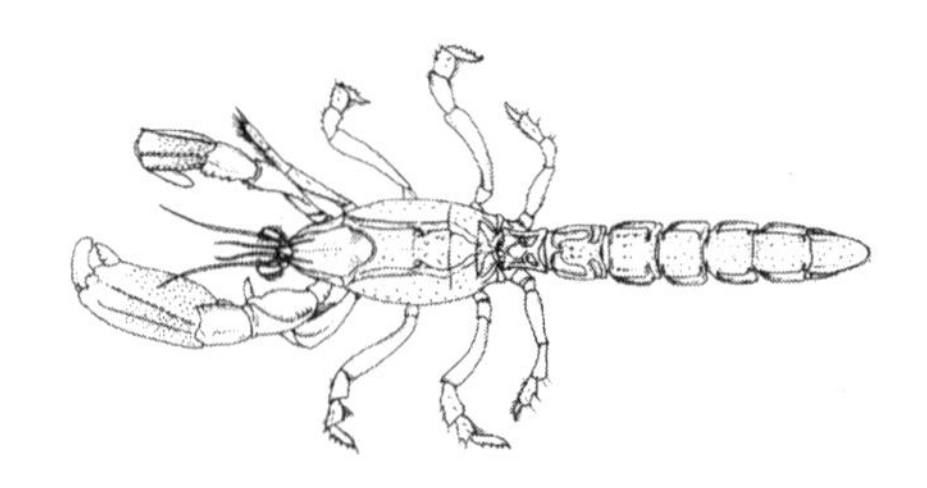

オキナワアナジャコ（16cm）

これら、方言のカニたちの正体には、諸説があるのだが、ダーナカニとガージメーガニは、何というカニであるかは、大島をはじめとした諸氏の意見は一致している。ダーナカニはオキナワアナジャコ（甲殻類ではあるが、カニとは別の仲間の生き物で、エビのように細長い体をしている）、ガーシメーガニはノコギリガザミというのが、それである。オキナワアナジャコは、マングローブ湿地の泥地に穴を掘って巣として、その穴の出口には塚状に泥を積み上げる。こうした習性があるから、島人は、オキナワアナジャコを、宴会の桟敷を造る係に割り振っているわけである。同様に、大きなハサミを持つノコギリガザミは、そのハサミを包丁に見立てて、料理係に割り振られている。僕は、初めてこの歌を知ったときに、こんふうな見立てのうまさに、ひどく感心した思い出がある。

この「アンパルぬミダガーマユンタ」と、マサキさんは思わぬところで遭遇し、驚かされたのだという。１９６５年の夏の話である。

「長崎海洋気象台に長風丸という観測船があって。復帰前、この船が石垣に来たので、研修で乗ったんだよ。そこにマツザキと言って、九州大農学部の動物学教室を出たやつが、大学院でプランクトンを研究していて乗船していた。で、一緒の当番でこのマツザキと作業をしたんだよ。４時間ぶっ続けの。そしたら彼がね、鼻歌を歌っている。しかし、どうも聴いたことのあるメロディなんだ。それで、〝おいおまえ、もう一度歌ってみろ〟と言ってね。これがアンパルぬミダガーマユンタなんだよ。〝これは石垣の歌だよ〟というと、〝知ってますよ〟というわけなんだ。〝僕の教室の校歌みたいなもんですよ〟と。それで、〝三宅先生に教わった〟というんだよ。話を聞くと、ナマコとかウニとかも、八重山の方言名をみんな知ってるわけ。すごいなーと。彼はプランクトンが専門なわけだけど」

八重山調査の折に大島の手によって採譜された「アンパルぬミダガーマユンタ」は、こうして甲殻類の専門家である三宅から、さらにその弟子である学生にまで伝わっていた。

「親父が江崎先生に虫を送っていたけど、お袋と弟が九州大学にそれを見に行ったら、三宅先生にその親父の送った標本を見せてもらったよと感激していた。それで僕も三宅先生にカニを送るようになってね。ヤクジャーマガニは宮良で見つけて、これは新分布の記録になったよ。こうしたやりとりがあったから、三宅先生から、カニの図鑑送ってもらっているよ」

マサキさんはカニに名を残すことはなかったが、それでも三宅の手になる『原色日本甲殻類図鑑』の謝辞には、マサキさんの名がちゃんと挙げられている。

三宅は1978年に、『沖縄タイムス』の取材で、八重山調査の時を振り返った話を語っている（『沖縄タイムス』1978年10月1日）。彼は取材時に、さっそく「アンパルぬミダガーマユンタ」を歌ってみせた。大島は敬虔なクリスチャンであったため、そばにいるとタバコも吸えなかったといった話も三宅は語っている。そのため、一計を案じて、大島が馬に乗って調査に出かける際は、その馬の尻に小石をぶつけたのだという。馬は当然、駆けだし始める。大島は乗馬がさほど得意ではなかったため、馬に必死にしがみつき、結果、この間に三宅はタバコに火をつけることができたという話だ。

また、三宅はもともと医者希望であったのだという。ところがうまく医学部に入学できずにいるうち、ちょっとした腰かけのつもりで農学部に籍を置くことにする。入ってみると、講義がなかなかおもしろい。旅行好きもあいまって、大島の率いる八重山調査にまで同行することになったのだと、三宅は回想している。

「7月の3日、ハンマーを手に初めて八重山の珊瑚礁に立った時、感激しましたよ。これは医者をやるよりずっといいとも思いました」

そんなふうにも語っている。

## 尖閣調査

長風丸での研修の折、マサキさんは、もうひとつ卓爾やツトムと縁のある「もの」と出会っている。それは海上遥かにのぞみ見た、尖閣諸島の島影である。

父であるツトムが上陸、調査した尖閣諸島は、マサキさんにとってあこがれの島だった。

マサキさんの家には、ツトムが残したアルバムが残されている。尖閣諸島調査を記したアルバムには、ツトムの手で、「尖閣群島ノ生物ヲ探テ無人島生活半月ヲ要ス。出発当日風邪体温39度ヲ押シテ出発、生涯ニ於ケル忘レ難キ記念撮影」と書かれているが、残念ながらアルバムに貼られていた写真は、戦時中、マサキさんらが台湾疎開をしている間に、家が荒らされ、アルバムから剥がされてしまい失われたという。ただし、マサキさんは小さいころから、このアルバムを見ていたため、尖閣諸島は深い関心と憧憬の的であった（正木　２０２１）。

そのあこがれの島に、マサキさんが上陸を果たしたのは、長風丸の研修から3年後の１９６８年のことだ。琉球政府の尖閣列島学術調査団（高良第五次調査）に参加した折のことである。そして、この調査団の団長である、当時の琉球大学の動物学の教授である高良鉄夫先生とマサキさんも、縁が深い。マサキさんは尖閣調査について書いたエッセイの中で、次のように書いている。

「敬愛する高良鉄夫先生が調査を主導されていた。私は琉球気象庁海洋係長の伊志嶺安進氏の補助として海洋観測を担当した。夜が明けたら魚釣島が目の前にあった。嘗て亡父が生物調査をした島である。幼少の頃からの「憧れ」が緑を湛えている」（正木　2021）

マサキさんは尖閣調査に先立つ、1956〜1963年の8年間を与那国島測候所に勤務していたが、ある日、与那国島に高良先生が当時の与那国島測候所長である宮良孫好さんの元を訪ねてきた。目的はヨナグニサンの天然記念物指定調査のためであったという。そして、このとき、用務のあった所長に代わり、ヨナグニサンの生息地を案内したのが若き頃のマサキさんだった。まるで、かつて岩崎卓爾の元を訪れた大島広や江崎悌三を、卓爾に代わりツトムが案内してまわったのを思い出させるようなエピソードである。そして、マサキさんはこの案内の最中に、様々な自然にまつわる話を高良先生から聞いたのだという。

2000年に沖縄に移住してすぐ、僕も1913（大正2）年生まれである高良先生から直接話を伺う機会があった。高良先生はもともと沖縄島・本部半島生まれであったけれど、小学校2年の頃に石垣島に家族で移住した。

「そのころ、岩崎さんが測候所の所長をしていました。馬に乗ってバンナに薪を採りにいくと、山道で岩崎さんとよく会いおった。その影響も受けとると思う。測候所の岩崎さんは、ウシュマイと呼ばれていて、小学校の天長節とかによく学校に見えたよ。正装してね。生徒とよく話をしていました。岩崎さんは、チョウチョウを採って、どこが違うとか何を食べるとか、よく教えよった。

弟子の正木さんなんかは岩崎さんの影響を受けていました。正木さんは、戦前、尖閣列島に行っているでしょう。僕は戦後、５回、尖閣列島に行きましたよ。昆虫を調べると面白いのがいると思うんだよ。一番特殊なのは陸貝。島ごとに種類が違うから。

昔はハブの咬傷患者が多かったんです。これが農村の発展の弊害になっていました。だから僕はハブを研究してみました。その頃、だれもハブの生態をやっていないんです。通俗的なことしか言われていなかったんです。ハブの分布は飛び石状態になっているけど、なぜかとか」

こんなお話をうかがうことができた。与那国島でマサキさんが高良先生から聞いた話の中で、マサキさんにとって特に印象的だったのは、このハブの分布の話だった。琉球列島の島にはハブの分布している島と分布していない島がある。高良先生はこの謎を、海水面の変動と絡めた推察を行った。すなわち、海水面が今より低下した時代、陸続きになった島々にハブが渡ってきて住み着いたが、その後に海水面が今よりも上昇した時代があって、そのときに標高の低い島は水没し、ハブは絶滅してしまったという仮説である。マサキさんは、地球規模の気候変動や海水面変動が生物の分布に関わりがあるという話に強い興味をもったのだ。

それにしても、さまざまな人やものは、思いもかけぬところでつながるものなのだ。そのようなつながりの結果、ツトムとマサキさんは、親子二代、尖閣諸島の島々に足跡を残した稀有の例を残した。

## 気候や星を表す島の言葉

マサキさんの話を聞く。

「夏休みにならない前に、海に泳ぎに行って、ブーカーイラーと呼んでいる毒クラゲのカツオノエボシにさされて泣いて帰ったことがあったよ」

カツオノエボシは、沖縄の島々の海岸で、ときに打ち上げられているのを見かける、青いクラゲだ。体の上部には風船のような膨らみがあり、これが浮きになっている。その浮きの下に、長い触腕が垂れ下がっており、この触腕にうっかりふれると、毒のある刺胞を打ち込まれる。このクラゲは普段は沖合を浮遊して暮らしているが、岸向きの強い風が吹いたりすると、岸部近くの浅い海に寄ってきたり、海岸に打ち上げられてしまったりするのである。

「イラーに刺されたとき、普段、怒らないばあちゃんが、〝夏休みにならないのに泳ぎに行って、泣いて帰ってくるやつがあるか〟と怒ってから、イモ酢で洗ってくれた。このときにね、〝なんで夏休みにならないうちに泳ぎにいったか〟ということの意味がわからなかったんだよ。イラーが来るのは夏休み前のカーチー、つまり夏至の季節。黒潮の上を南西から吹いてくる、カーチーバイという季節風でイラーが、今の離島桟橋あたりに寄ってくる。ところが、梅雨があけて夏休みになったら、季節風が南東季節風になって、黒潮を横切らないだろ。するとイラーは岸には寄ってこないんだよ。それが後になってわかった。ばあちゃんが言っていたことは科学だねと。おもしろいことに、裏石垣の海岸にいくと、1月頃にブーカーイラーが打ち上がっている。考えたら、冬場の季節風は北風だから裏石垣に打ち上がるんだよ。昔は車なんてないだろ。だから裏石垣なんていけなかったから。長年石垣に住んでいるけど、車を持つようになって、初めて裏石垣に気軽にいけるようになったわけだから」

裏石垣というのは、四箇からみて、バンナ岳をはさんで島の裏手にあたる西海岸に位置する、川平から平久保にかけての一帯のことだ。

卓爾は、石垣島に測候所を立て、科学的な天気予報を発信した。それだけでなく、測候所を発信地として、当時の最新の科学技術や都会の文化を島内に発信した。同時に島に伝わる迷信の払拭も試みた。例えば卓爾の私宅である袋風荘は、島の人がタブー視していた土地を、あえて選んで建てられたものであるという。一方、卓爾は島に伝わる伝承には深い興味も示し、俚諺、童謡、民間療法などについて聞き集め、記録した。

「岩崎さんがそうして書き残さなかったら、もうわからなくなってしまったものもあるはず」とマサキさんは言う。

そして、そうした古からの伝承や名称の中に、先のイラーの話のように、科学的な知と結びつけられるものがある。

「八重山では梅雨をユドゥンと言うんだよ。ユドゥンというのはよどむということ。道草をくうことをミチユドゥンと言うよ。八重山の梅雨時期には、何がよどむのか？　これ、星がよどむんだよ。

星というのは、スバル座のこと。梅雨入りの頃、夕方、西に出るスバル座が、5月になると、沈んで見えなくなる。そのころをイリユドゥンという。それで、一晩中、スバルが見えない時期が続く。それが、6月23日頃、今度は暁の空にでてくるようになる。これがアーリユドゥン。スバルが見えない時期が梅雨にぴったりあうんだよ。暁の空にスバルが見えるようになったら梅雨が終わるということなんだ。昔は、季節の決定は星だったんだよ。スバルは石垣ではムリブシといっていた。農業のためには星を見なくてはいけない。日本には日本の星座があったように、八重山には八重山の星座があったわけさ。オリオンはタツァーギ星、蠍座はハイヒツ星。米を刈る時期の目当てになるパイガプスという星がある。ハイミ星ともいうね。岩崎さんの本に出てくるよ。これはケンタウルス座の前足にあたる星だ。

6月、パイガプスの二つの星が、水平線近くで水平に位置する時期が、米の刈り時期なんだな。同じ頃、マルバチシャノキの実も黄色く色づく。この木は方言でケーズというが、この実が色づくと、米が色づくと。これも農作業の〝めやす〟にしていたんだな。今はカレンダーという便利なものがあるが、昔は旧暦を使っていただろ。旧暦は年によってずれるので、農作業に支障がでる。それで自然を見て、補正したわけだ。天体の動きは正確だから。星見石というのもあって、各村々に観測所があったんだよ。石の何尺か後ろで見て、めあての星の高度が○○になったら、時期だ……とか」

卓爾の「石垣島気候篇」に、「梅雨（ユドン）とは渋滞の意にして、道草を喰ふ事を俗に「ミチ、ユドン」と言ひ……」と、マサキさんの話をしてくれたとおりのことが書かれている。

「夏の驟雨のことを、沖縄ではナツグレというけど、八重山ではアモーレという。こういう言葉も忘れられつつある。虹は沖縄だとムージ、宮古はティンパフ、八重山だとモーギ。万葉の言葉だとヌジというらしいね。方言もしらべたらおもしろいよ。岩崎さんの一巻全集にも言葉のことが少し出てくる。記録したということは、大きな仕事だと思うんだよ。天気のことわざも検証しなくちゃいけないな。昔は、砂浜にカニが巣穴を開いたら、2月カジマーイが終わりだよといってたよ。旧の2月頃、天気が急変することがあるんだよ。帆船時代には、恐ろしいことだったわけ。その2月カジマーイの季節が終わるというのが、カニの巣穴を見てわかると言うことなんだよ」

このマサキさんの話も、「石垣島気候篇」には、「往々東海及至台湾北部に低気圧出現し、其発達したるものは俗に〝二月風廻（ニグワツカサマーリ）〟又は〝二月（ニグワツ）大雨（フーアミ）〟と言ひ（中略）島人は〝馬蟹（マーカン）〟の波際近く穴を啓き、海水濁り又は海草魚介の類磯辺に打ち揚げられて、臭気を発するを以て、此厄日の経過したるをト知す」と書かれている。

このハルマーカンと呼ばれるカニが、ツノメガニである。色は住処である砂浜そっくりの、白っぽい色をしている、脚を広げると、手の平よ

ハスノミカズラ

リュウキュウツチトリモチ

り少し大きいサイズのカニだ。ツノメガニと呼ばれるのは、名のとおり、目の上に角状の突起があるため。また、追いかけると、驚くほどの速さで逃げる。この逃げ足の速さが、ウマのようだということで、ハルマーカンという方言名がつけられている。

「ツノメガニが、春に巣穴から出てくると言うことでいえば、これは、啓蟄だな。八重山の啓蟄はツノメガニが出てくることなんだよ。ツノメガニは、冬の間は姿が見えない。ちょうど啓蟄の頃、巣穴が開いて、そうするとカジマーイも終わりになる。これもひとつの科学じゃないかな。石垣気象台では、大正時代から昭和初期まで、ツノメガニの巣穴がいつ開くかを観測してたんだよ。親父も気象台にいたから、浜にいってカニの巣穴が開くのを見ていたわけ。こうした観察は、戦後、気象台の業務からは無くなってしまったよ。迷信だと片付けられてしまったんだな。

昆虫とかは、人類より長く生きている生き物だろ。天変地異を予知する能力や器官があるかもしれないじゃないか。その研究が進む前に、生物季節観測はいらないとしてしまっていいのかね。ツノメガニに何かの能力があるか、調べてもいいんじゃないのかな。調べるのは難しいとは思うけどね」

ツトムが戦禍にあわなければ、彼はいったいどんな本を執筆していたのだろうか。

ツトムの手紙にあったように、コノハチョウの生態が主な内容となったのは間違いがない。そのほかの自身による迷蝶の発見についても書かれただろう。卓爾との虫についてのやりとりにもふれたのではないかと思う。また、卓爾の著作である「石垣島気候篇」にならい、生物季節の観測結果や、島に伝わる生物と気候や天候との関わりについてや、アンパルぬミダガーマユンタのように、民謡と生き物との関わりなどに筆が及ぶこともあったのではないだろうか。

マサキさんと話をしているうちに、その、ツトムによって「書かれなかった本」の概要が、ぼんやりとではあるけれど、浮き上がって見えてくるような気がし始めた。

## かつての自然利用

卓爾が書いたおかげで消滅や散逸がまぬがれたさまざまなことがある。当時の童謡などは、卓爾が書き残さなければ、存在も知られぬままに消え去ってしまったものも多いはずだ。

例えば、『岩崎卓爾一巻全集』の中には、こんな童謡が記録されている。

「てぅねんぼうじ、やまかい、つかいし、つかいし」

卓爾によれば、「てらねんぼうじ」は特異な姿をした寄生植物のリュウキュウツチトリモチのことで、その姿を人に見立てて「てらねんぼうじ、山へ遣たか寺に遣たか」と歌う童謡なのだとある。（歌詞の紹介にある、てぅねんぼうじは、てらねんぼうじの誤植であるようだ）。

かつて、人々の生活の中で、さまざまな自然物の利用が見受けられた。子どもの遊び道具やおやつも、自然物だった。マサキさんの世代までは、まだ、そうした伝統を受け継ぎ、体験を語ることができる。

「サルノタマ（ハスノミカズラ）という、棘の生えている実があって。中の種は球形なんだ。これは、ピーカーラ（火瓦）とも言って、これをコンクリにこすって、摩擦で熱くさせてから、友達に皮膚に押しつけてびっくりさせるという遊びをしたよ。ハスノハギリのタネも、こすって熱くして遊んだ。サルノタマは、たくさん集めてビー玉のかわりにもした。ちょっとだ円だから、新円に近いやつを探して。サルノタマではうまくできんが、天国という遊びがあって、これは、ビー玉でよくやった。丸を書いてその中にビー玉を積んでおいて、そこにあててはじきだす。はじきだされたものをもらうっていうゲームだよ。

グミの実はフビルというけど、僕らと同年の少年たちならとっても懐かしい植物。腹いっぱい食べて、山で食べたあとは袋に入れて、ポケットに入れて。考えるとビタミンCかもしれんなあ」

マサキさんの口からも、そんな話が飛び出してくる。

もちろん、食用としての植物利用もあった。

「田んぼには、タークブ（ミズオオバコ）という草が生えていてね、これはしゃきしゃきして、食べるとおいしかったんだが。ベニバナボロギクはショウワソウと呼んでた。戦争のころ、こっちの兵隊はあればっかり食べてたよ。ヌーハンダマとも呼んだ」

沖縄は、冬でもあたたかく、畑から野菜が収穫できることもあり、山菜の利用はあまり見られない。ただ、八重山の場合は、沖縄島よりは山野の植物の食用利用が見られ、アダンの新芽、オオタニワタリ類の新芽、ヒカゲヘゴの新芽などを食用に利用している。

「海のものでいうと、イースヌクー（ツノマタ）は食べていたよ。ナチョーラは虫下しといって、学校で食わされた。これは黒砂糖が入っていて。校庭で大きな鍋で煎じていて茶碗を持っていくとそれに入れて、こうしてみんなに飲ますわけさ。ほかに食べた海藻はスヌイ（モズク）、アーサーぐらいのもんだよ。

スヌイは、昔は海から家にもってきて、庭に正月に白い砂を撒いて真っ白くしているから、そこで砂にまぶすわけ。次に雨戸をはずしてそこでたたく。それでバーキにいれて干しておく。食べるときは水でもどして。砂は沈むから洗って食べる。今みたいに塩漬けにしなかったよ。今なら市販のマル米酢があるけど昔は自家製のイモ酢しかなかったから。これは、芋をたいた汁をカメにいれておく。かまどのそばに置いて、しばらくすると、上が白く膜みたいになって、それをとると、酢ができている。それに塩をいれてね。こんな酢で食べるからおいしくない。それで、スヌイが嫌になってね。スヌイはチャンプルーにもしたりして食べたけど」

マサキさんの家で話をうかがっていると、時にマサキさんの同級生で定年後は牧畜を営んでいる識名朝三郎さんが訪ねてきて会話に加わることがあった。識名さんは八重山の言葉や、八重山の動植物利用についてはマサキさんより詳しく、識名さんからの聞き取りは、すでに本書とは別に報告をさせてもらっている（安渓・盛口編　２０１１ほか）。

例えば、沖縄の島々で救荒食として使われることが多い、ソテツについて識名さんに聞いてみた。

「ソテツの利用と言ったら、〝食べること〟〝虫かご〟〝ホウキ〟かな。僕もソテツは食べたことがあるよ。アクが強くて、おいしくないものという思いがあるけど、戦後は食糧難だったからね。八重山は、イモが主食だよ。米も作ったけれど、これはお金にするもの。あとは病気のときに食べるもの。ところが、戦争中は、イモも兵隊さんがみんな取ってしまったから。それでソテツの幹からデンプンを取って食べたんだよ。スティーズヌナリと呼ぶ、ソテツの実も食べたが、実のデンプンは高級品。幹のデンプンを食べる時は、幹の表面を削り落として、中を鉈で削って、アクを抜いて干して臼で粉にして、その粉をふるってから団子を作って食べたんだよ。

ソテツを植えたことはないなあ。ソテツは屋敷に植えると、鉄を食うといって、嫌ったから。盆栽としても使わなかったね。最近は、植えるけどね。ソテツは原野に生えていたものだよ。人間が植えれば、ソテツはどんなところにも生えるけれど、自然のものは、石灰岩地帯に生えていたよ。畑の畔に植えることもなかったよ。ここでは、原野に野生化したものがたくさんあったから」

また、ソテツのデンプン利用とからめて、ウムクジと呼ばれる、サツマイモデンプンの島での利用について、識名さんは以下のような話を語ってくれた。

「サツマイモのデンプンだけでなく、昔はキャッサバやアロールート（和名クズウコン）のデンプンもあったよ。アロールートのデンプンはキレイでね。これは屋敷内に植えたりしたよ。僕の牧場の倉庫にしまってあるウムクジは、戦後すぐ、母がイモから取ったものがまだ、そのままとってある。だからもう、50年以上もたつものだよ。今でも、真っ白でキレイ。これを見て、感心するよ。ウムクジは貯蔵の効果がすごいと。八重山では、熱がでたとき、普段のイモのご飯が食べられなくなると、クズをたてて、砂糖を入れて食べたよ。それとご飯のお粥が病人のご飯。

識名さんの話は、聞けば聞くほどつきることがない。そして、こうした会話をしていると、そこに与那国出身のエミコさんも加わり体験談を語りだしてくれる。

「ソテツの実のことは、与那国ではダディングと呼ぶのよ。今の子は、意味がわからないんじゃないかしら。ソテツ自体はトゥディィチ。ソテツの味噌もタディングルミソと呼んでいたわ。

イモをおろして、うんと練って、餅になるまでねって、サンニンで包んで、蒸すと芋餅になるのよ。これはウンティィモチと呼ぶの。遠足なんだけど、お米が買えなくて、イモを弁当にいれるわけにはいかんから、芋餅にして、母親が弁当にしてくれたわけ。小学校５、６年のころの話。でも、イモの弁当は〝いやっ〟っていって投げ捨ててから、弁当を忘れたといって、岩陰に隠れていたことがあるわね。今考えると、親不孝をしたなと思う。寝ないで作ってくれたのに。

イモくずのテンプラと、プットゥルーの間に、イモとクズとをテンプラよりも少しかたくねって、細長く団子にして、塩味でゆでて、ゆであがったものを油でいためて食べた。ニラとかピパーズ（ヒハツモドキ）の葉っぱを刻んで入れて。ときにはすいとんみたいに味噌汁に入れてね。すいとんもメリケン粉の配給があった時はよく食べたけど、すいとんより、イモの甘みがあっておいしい。これは、ムティティといってた」

こんなふうに、サツマイモの食べ方も、その料理につけられた名前も、与那国島には与那国島特有のものがある。島が違えば、また自然や文化が違っている。だからエミコさんの思い出話もつきることがない。

マサキさんの家で、こうしてマサキさんやエミコさん、識名さんらの話を聞いていると、卓爾が島の古老の話を熱心に聞き集めた気持ちがわかる気がする。

薬としての利用

かつては、日常の中で利用される薬もまた、身近な自然物の中に見いだされた。

先に紹介した、マサキさんがセマルハコガメを食べたというのも、伝統的な民間療法の一つだ。卓爾の記録には「ピンギュ・サーク（喘息）：山亀の甲を赤土にて一寸位厚く塗り火の下に埋めて焼き後、土を取り去り毎朝白湯にてのむ」と書かれている。また、「ヒンク・サーク（冬、冷え込んでる咳）：山亀の肉を其の甲殻にて煮て食す、この料理法は屋外にて行ふ」とも書かれている。

マサキさんが思い出す、幼少期の民間療法には、ほかに次のようなことがあったという。

ばあさんは、ムカデにかまれたら鳥のフンをつけてたな。あと、生のままのカタツムリをつぶして傷につけてたりした。赤とんぼを煎って水に溶かすと咳の薬とか。カエルを焼いたものも薬といっていたけれど、これは栄養源。イヌはマラリアの薬だったから、これはよく食べた。あと、子どものころ、鼻血が出ると、馬糞をもってきてかぐっていうのもあったよ」

これも卓爾の記録の中に、「鼻血トメ：馬糞を焚き其煙を嗅がしむ」と書かれているものを見ることが出来る。

識名さんは「アロエはツカサヌアバと言っていたよ。これはやけどの薬。修理工場でトーチランプの火で足を焼いたとき、アロエを採ってきて、冷やしてからあてていたら、痛みもなく治ったよ」という話を教えてくれる。また、昔はフィラリアにかかる人がいたという。そのフィラリアの薬がウイキョウとハリセンボンを一緒に炊いたものであったとのこと。だから識名さんは「ウイキョウはものすごく大事な薬草」という。

エミコさんも、自身で体験がある民間療法について教えてくれた。

「ケガして血が出る量が多いと満潮というよ。ムカデにかまれたときは鳥の糞をぬって、薬といっていた。おできにはカタツムリひろってきてつぶしてつけたりね。ねんざのとき、鳥の首をしめて、窒息させて、それを二つ割にして患部にあてる。これが一番効くっていっていたのよ。羽根のついたまま二つ割にしてね。ニワトリの体温で治るって言ってね。うちの母、腰をいためたときもやりましたよ。ニワトリもってこいってね」

卓爾はこうした八重山に伝わる民間療法も多数、聞き集め、書き記している。

例えば、熱さましとしては、「フナと苦菜を似て食べる」「酢とゆで卵の黄身をまぜて全身に塗る」「子どもには赤百足、桑カミキリの幼虫を黒焼きとして、それを飲ます」といった療法があることを紹介している。結核の場合は、「カタツムリとウイキョウを煮て食べる」「ソテツの実を二つ、米一合を水五合に入れ、二合ぐらいに煮詰めて服用する」という

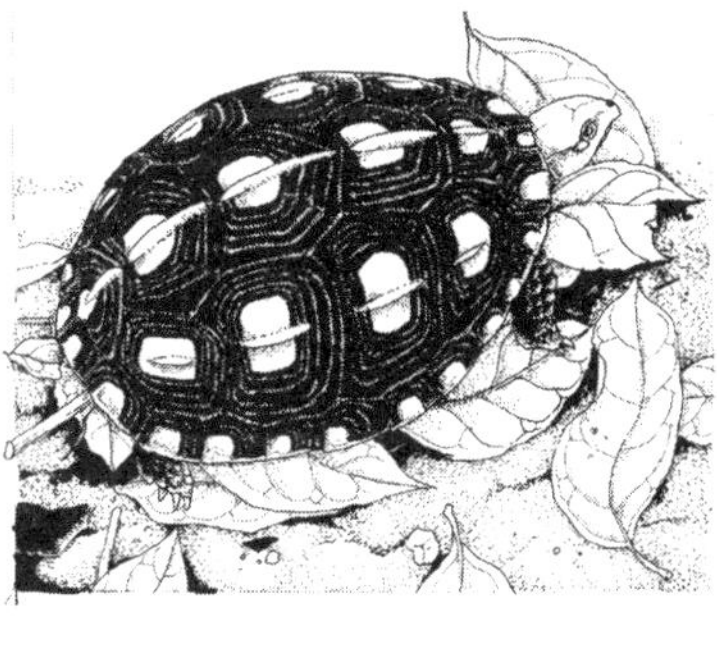

セマルハコガメ

療法が紹介されている。

ただし、卓爾はこれらの民間療法を紹介する文の冒頭で、これらは、「ばかばかしくてお話にもならないこと」と書いている。卓爾が聞き集めた民間療法の例の中には、歯が痛いときの治療法として「ネズミの糞を頬に塗る（与那国）」といった療法が紹介されていたりする。確かにこれは、まったく効き目のない、いわば迷信のようなものだろう。

卓爾は島の伝統に興味を持ちつつも、非科学的な迷信などは一掃したいと考えていたから、こうした民間療法を揶揄するような文を書いたのだろう。

薪や炭の利用

自然利用という点でいうと、かつては、生活の中で、煮炊きに使う薪や炭も重要だった。マサキさんによれば、ツトムは小学校を卒業したのち、宮良医院の薬局で働く以前、本家の次男が炭焼きをしていたので、それを手伝っていたことがあると言う。マサキさん自身は炭焼きの経験はないが、小学生時代、薪採りに行った経験があることを話してくれた。実はマサキさんは尖閣調査や与那国での出会いに先立ち、この薪採りの際に高良先生に初めて出会っている。薪採りの帰路、肩から胴乱を下げ、片手に捕虫網を持った乗馬姿の高良先生が追い抜いていったという記憶があるのだそうだ。

「山に薪を採りに行くのは、普通小学一年生ぐらいから。ところが、親父は戦前、測候所に勤めていたから、そのころは薪を採りにいく必要がなかったわけ。ところが戦争中に親父が亡くなるだろ。

最初はおふくろの実家に居候をさせてもらっていて、そこでも薪を採る必要はなかったんだよ。ところが台湾に疎開して、戦後、小学5年で戻ってきて、6年ぐらいになってから薪採りに行くことになって、同級生に山を教えられたんだよ。小学校1年から通っている同級生たちはもうベテランなんだよ。連れて行ってと頼んだら、いいよというんだけど、僕をいじめたいという思いもあるわけだ。まず、チビバリ石での儀式をされてね。これ、岩崎さんの本にも書かれているよ。僕を担ぎ上げて、石で尻を打つ。これをやらんと雨になるからと言われて。それからようやく山に入るんだ」

『岩崎卓爾一巻全集』の中に、「尻割石（チピワル・イシ）」として、「初めて山に入るとき、この石に祈願をしないと、必ず雨が降るという信仰があり、初めて山に入る者の頭と両足を持って宙に浮かせ、〝マアレー、ダアガ〟と三回、左右に振って、尻を石で打つ。痛いけれど我慢しなければならない」という意味のことが書かれてある。

「山の薪といってもいろいろあってね。持って帰っても、燃えない、重いだけの薪というのもあるんだよ。同級生は、そういうのも教えてくれないんだ。ヤマヌバン（アカハダノキ）というのは、持って帰ろうとすると重いし、火をつけても、煙は出るけど、燃えない木なんだよ。こうしたことは、最初はわからないから、こんな木を持って帰ってね。この木はバンナ岳にたくさんあるよ」

マメ科のアカハダノキは、薪として利用できず、他に用途もないので、山に生えていても、切られることもなく、いつまでも残っている。それで「山の番」という名がつけられている。同じような話は、西表島の古老からも聞いたことがある。

「ハゼノキは、うっかり切るとかぶれてしまうし。ハゼノキにかぶれてしまうことを八重山ではハジマキというよ。それで最初に山に入った時に、ハゼノキに負けないために、この木に飛びついて幹を噛めといわれたんだよ。〝この木がハゼだよ。よく覚えろよ。じゃあ、飛びついて噛め〟と。言われたことをまじめに信じて、木を噛んだら、口がかぶれてね。こんなふうに、いじめられたわけ。でも一年もすると、経験豊富になって、僕もやがて、新入りに同じことをやったわけなんだが。いじめも最初だけで、しばらくすると、親切な人がどんどんアドバイスしてくれて、縄がけするときに、こうするとよく荷がしまるとか。教育というのはそういうものかもしれないなあ。ほかにも、マルヤマシュウカイドウの茎は、噛むとすっぱいので、水が無いときにのどの乾きをいやすとか。こういった知恵を山の先輩たちが教えてくれるわけなんだ。

薪取りにバンナ岳に行くとき、最初の頃は縄を持って行ったよ。そのうち、山にはえているトウヅルモドキを使って縛って帰るようになって。トウヅルモドキがどこに生えているかわかるようになって、そうしてトウヅルモドキを使った方が、縄より格好がいいと。トウヅルモドキが無いときは、マメ科の太い蔓を使うわけ。オーヌバタ（コウシュンモダマ）という名前のつるで、これは豚の腸という意味。この蔓を裂いて使う

アカハダノキ

んだけど、これは、なかなか強い繊維だよ。ほかにには、カシのひこばえはまっすぐにのびるだろ。これを切って、ぎゅっとひねって輪を作って、これでも薪をくくって帰る。これができると、もう、薪採りとしては上等の部類。薪を採りに行くときは、ちょっとした広場みたいなところ……メーというんだが、そういうところに弁当をおいて、薪を採るんだけどね。水がないところだと、弁当はイモだし、水筒がないので、イモがのどにつかえて食べられない。そうすると、谷まで降りて水を飲みにいかなくちゃ行けない。それがいやで、僕は水がなくても飯を食べる訓練をしたんだ。今でも大丈夫で、家内が珍しがるよ。今でもグラウンドゴルフをするときに、お茶を飲まないので珍しがられるよ。

子供の時の薪採り、立ち枯れを探せたらうれしかった。生木を切るのは禁止されていたからね。ただし、生木も、薪ではなくて、棒に使ったりするのに切るのはよかったんだよ。戦前は、ヤマドゥメ、インドゥメ…山留、海留というのもあったな。岩崎さんの本にも出てくるよ。山留は新芽が出るころ、山に入ってはいけないというきまり。海留は海にいったらいけないということ」

かつては、各地で、山の資源管理の為、薪として利用するものは、枯れた木に限るといった制限が定められていた。なお、『沖縄大百科事典』で「山留」を引くと、「稲作を主体とした作物の順調な生産をはかるための、物忌の一つ。『琉球国由来記』や『球陽』をみると旧暦4月1日より5月晦日までおこなわれていたことがわかる。その間、人が鉦鼓を打ち鳴らし、山林に入って木を切ること、河で魚をとり、女が海辺に遊ぶことなどを禁じた。禁を犯すと大風が吹いて五穀に害を与えると信じられた」とある。海留は、この山留と対になっていたタブーのことだ。卓爾の「ひるぎの一葉」の中に

「三月十五日ヨリ五月十五日迄、山留トシテ、木、草ヲ切不申候、又ハ女人、海辺へ行不、鳴物禁ジ、慎候是モ作物ノタメ也」と書かれている。

「星野のあたりはジンギ山といって、シマトネリコがたくさんあった。これが一番の薪だった。特等の薪はジンギ（シマトネリコ）なんだよ。火持ちがいいし、火力が強い。法事とか正月とか行事のときは、わざわざ星野のあたりまできて、生木を切って、行事のときまで取っておく。そういうときは、たくさんご飯を炊かんといかんから。石垣から遠いから、泊りがけで採りに来たりして。終戦後までこんなふうにジンギの薪を使っていたよ。1950年代に移民が入って。移民にとったら、畑にするのには、ジンギはどうでもいいもんだろ。それでジンギを切って、トラックで運んで売って、みんななくなってしまった。そのあとは急激に石油コンロになって、薪を使わなくなった。1959年生まれのうちのヨウコまで、産湯は薪。1962年生まれのハジメは石油コンロでわかした産湯。弟のタカシはガスコンロだよ。それぞれ2～3年しか違わないのに。孫になったら原子力かね。ヨウコのとき、海洋研修を3か月、沖縄でやったんだ。研修にたつとき、どうも陣痛らしいと言ってね。船に乗ったらお産して、船がついたら役所の職員が電報で女の子と伝えてきて。でも、もう引返すわけにもいかないから。薪で湯を沸かしてくれたのは、隣の家の青年だったよ」

マサキさんの話にあるように、戦後の人々の暮らしの変化は、めざましいものがある。

## 身近な植物の変化

「昔は、昔道のわきにあった石垣のそばにはイワダレソウがはえてたよ。だから、それを食べるタテハモドキも多かったんだよ。昔はあんまりいすぎて、チョウだと思っていないぐらい。ウマノクソチョウなどと呼んでいたよ。道脇には馬糞も一杯落ちていたからね」

江崎の「八重山諸島昆虫採集記」の中に、土産物としてチョウの標本が喜ばれるようになったため、子どもたちがチョウを採集して土産物屋におろしているという話がでてくる。

土産物屋が子どもたちから買い取る際に最高値をつけているのがコノハチョウで、一頭3・5銭。一方、美しい色をしていないからという理由で、オオゴマダラは0・5銭。ツマベニチョウは一頭3銭していたのだが、江崎が来島したときは大量発生が見られたため一頭1銭に暴落していたことが書かれている。そして子どもたちはこうしたチョウの名を基本的には和名で呼んでいたが、「中にはバフンチョウ（アオタテハモドキ、タテハモドキ）、ノコギリチョウ（ルリタテハ）等と言う通称もある由」と江崎は書いている。

「今、昔の雑草が本当になくなった。注意して一生懸命探すんだけど、記憶の中の雑草がない。昔の屋敷の中にあった雑草が、今はみあたらない。ちぎると白い汁が出てくる草で、葉の上が赤くなっているやつ（ショウジョウソウのこと）とかを見ないんだよ。スベリヒユも昔はいくらでもあったのに今は見ないよ。戦後にはびこったシロバナセンダングサにやられた雑草もあるんじゃないか。クマツヅラやルリハコベも街中から見えなくなったよ。昔は、ソクズが家のうしろのちょっと暗いところに生えていたのに。

魚毒も、子どものころ、よくやったよ。僕らがやったのは、海の小さな水たまりで。たべるためじゃなくてね。イズベースフサ（キツネノヒマゴ）という草で。これは魚を酔っぱらわす草という意味。海ぱたに生えていたよ」

魚毒というのは、植物に含まれている成分をもみだして、水中に流し込み、魚を麻痺させて捕る漁法のこと。琉球列島ではさまざまな植物が魚毒として利用されている。一般によく聞くのはルリハコベの利用なのだが、石垣島ではキツネノヒマゴがよく使われた。

卓爾の「石垣島気候篇」には、白保では渇水時に集落近くを流れる轟川に、トウダイグサ科の栽培植物であるフクロギや、山に生えているツバキ科のモッコクの皮を臼に入れてついてつぶして、これを投入し魚を捕るという話が紹介されている。白保の場合、この魚毒漁は雨ごいと結びついているのが興味深い。「石垣島気候篇」の記述によれば、魚毒を流すことで川の中の魚を捕るのだが（捕った魚は人々の食用にされる）、死んだ魚が川の中で腐って、川が穢れたことを怒った天の神が雨を降らせて川を浄化する……これが結局雨ごいにつながるという話だ。

ところで、一見、サボテンの仲間のような姿の多肉植物であるフクロギは切ると、ほかのトウダイグサ科の植物同様、断面から白い乳液を出す。この

タテハモドキ

乳液に魚を麻痺させる成分が含まれているようだ。卓爾以前に、コノハチョウの習性について報告をした黒岩恒も、石垣島では、タデの仲間を魚毒に使っていたことと、フクロギを細かくして魚毒にするということを見聞きし、報告をしている（黒岩　１８９５）。このフクロギは、リュウゼツラン同様、古くに海外から移入された植物であるけれど、今、石垣島ではほとんど姿を見ない。少なくとも、僕は存在に気づけていない。エミコさんのお茶の先生である、石垣生まれの川平さんから話を聞いたとき（２００１年）、70代になるというその女性から、かつては〝サボテン〟（フクロギと思われる）がたくさんあったという話を聞くことが出来た。

「私は魚を食べるのが好きだけど、釣りたてのが食べたい。スーパーで売っているのは食べたくないの。今頃、そんなこと悩んでいるよ。魚はどこにあるのって。昔、学校に行く前に、動いているエビとか、糸満のおばちゃんが売りに来るのね。買うから、木陰でとっておいてといってねと、そんな会話をしたりしたのよ。その頃は、朝、獲りたてのくりくりした魚が売られていたわけ。今もそれが、思い出されてしょうがない。だから、今は魚を食べたいと思ったら、釣りしている人に頼んで売ってもらえないかなあと思ったりしているよ。

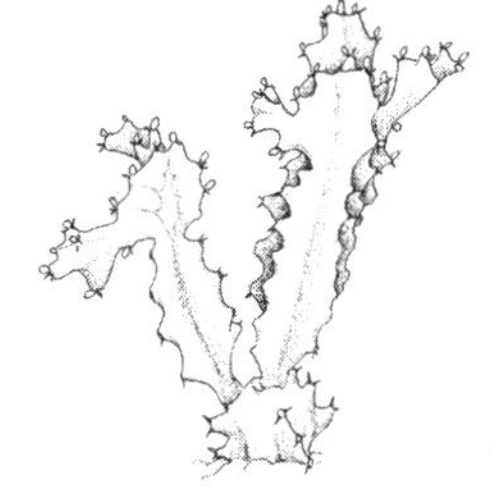
フクロギ

小学生のころは、よく、山へいったでしょう。うちの父なんかツトムさんの影響をうけて、よく生き物を観察していて。ツトムさんを先頭にして、植物をみんなで採って名前調べたりね。だから、そのころは草の名前みんな知っていたわよ。

昔は、そこらに〝サボテン〟があってね、〝サボテン〟の茎を切って、水が出たら満潮、出なかったら干潮といっていたの。いつもはトゲトゲしているから、さわらないけれど、海に行きたいときは〝サボテン〟切るの。細い道をしゅるしゅると行って、バンザクロ（グァバ）を採って食べて、あのへんで〝サボテン〟を切って…。私が4、5年のころ。昔は土曜とか、海にいかないとごちそうが捕ってこれないじゃない。ハマグリもおれば、チンボーラーもおれば」

こうしてみると、フクロギもまた、人知れず人家近くから姿を消した植物の一つであるようだ。

## 原野の消失

卓爾の次女にあたる菊池南海子は、琉球新報の記者を長く勤めた三木健との対談の中で、幼少期、自身が石垣に住んでいた頃を思い返し、「あのころ、測候所のまわりには、なんにもありませんでした。原っぱでした。ただ、インヤー（西隣の家）とアンヤー（東隣の家）があるだけでした。あとは海までなんにもなかったんです」と語っている（三木　１９９８）。

「昔、岩崎さんがいたころの測候所の東側には、人家はなんにもなかったよ。あったのは、原野だよ」

マサキさんも、そう言う。

「カヤが生えていて、ぽつりぽつりとアダンがあったり、リュウゼツランが生えていたりした。その原野が、今は無くなってしまったよ。リュウゼツランは、畑の周辺とかにもいくらでもあったんだけどな。５、６月のころ、花茎を立てるから、それが風にそいでいたのに。このリュウゼツランの花茎をナベーラの棚とかに使ったんだよ。家の建材を砂浜に埋めるとシロアリがつかないといっていたんだけど、その材を埋める浜で、リュウゼツランも腐らせて繊維を取っていたよ」

こうした身のまわりに、当たり前に存在した自然環境の変化は、記録に残りにくい。アメリカ大陸原産のリュウゼツランは、古く島に渡来し、かつては島人にとって原風景の一角を占めるような植物だった。リュウゼツランは、大きな硬い剣状の葉を叢生させる。この葉の繊維は丈夫なので、葉肉を腐らせて繊維を取り出して利用することができる。また、時に長い花茎をのばして、そこに花をつける。どう見ても日本産らしく思えない、こんな植物が、マサキさんの原風景を構成しているという話を聞いたときは、なんだかちぐはぐな気がしたものである。

１９２６（大正15）年に発行された、卓爾の主催する雑誌、『児童の産業』16号に、卓爾のそれまでの功績をたたえて「風の宿主人によせて」という歌詞が発表される。これは沖縄民謡のうち、軽快なリズムの舞踊曲としてよく上演される鳩間節の曲にあわせた歌で、「アンパルぬミダガーマユンタ」を生み出した伝統を引き継ぎ、島の様々な生き物が、卓爾の功績をたたえて歌い、踊るという趣向になっている。

笛を吹くのは、ベネガロフ
（ズアカアオバト：笛を吹くような鳴き声だから）
ヤグジャマは三味線を弾く
（シオマネキ類：オスが大きなハサミを振り下ろすさまを、三線を弾くさまになぞらえている）
踊りを踊るのはオオアヤハベル
（ヨナクニサン：世界最大のガ、翅の模様を踊り手のあでやかな服になぞらえたか）
棒踊りをするのはテンジンバシマ
（ナナフシ類：脚が棒のように細長いから）
獅子舞をするのはフサマラカン
（ケブカガニ：全身に毛が生えている。沖縄の獅子舞の獅子は、体を布ではなくて、バショウの茎などの植物の繊維で覆うため、様子が似ている）
鐘をならすのはヤマズメ、ナナツガニ
（イワサキヒメハルゼミ、タイワンヒグラシ：セミの声を祭の際の鐘を鳴らす音になぞらえている）
松明をもつのはジンジンハアヤ
（ヤエヤママドボタル）

こうした歌詞の中に、ロガイの名でリュウゼツランも登場する。八重山の伝統的な祭では、旗頭という、その集落の象徴となる飾りを付けた長い竿を祭りの時期に集落内に立てるのだが、リュウゼツランの長い花茎を、その旗頭になぞらえているのだ。つまり、卓爾の時代、リュウゼツランは身近な植物として人々に認知され、方言名も与えられていた。そして、マサキさんから「原野にリュウゼツランがあった」という話を聞いて、僕は、リュウゼツランだけでなく、その植物が生えていた環境も含めて今は石垣島から失われたということを知った。こうしたことは、記録に残さなければ、どこかで忘れ去れてしまうことだろう。

## 八重山の自然破壊

「石垣島の自然が変化したのは、まず戦争の影響だよ。これは爆撃や砲撃ではないよ。山の木を切り倒して、防空壕の支えにしたんだ。市内の石垣も、くずして。昔は家の石垣、背が高かったんだよ。それを高さ半分にして、残りを軍に供出したんだ。

戦後になったら、今度は、マラリアを撲滅するために、山の渓流に、薬剤を点滴みたいにして流したんだよ。これで川の生き物がみんな死んでしまって。この影響は大きいと思うよ。

それから、環境に大きな変化を与えたのは、土地改良だな。裏石垣は、１９５０年に道ができて、移民が入ってきて山裾まで開墾するようになった。このとき、本島で米軍に土地を取られた人に優先的に土地を与えたんだよ。ちょうどパイン景気もあったから、山裾がどんどん開拓されて、削られた。復帰前の話だよ。その後は、復帰後の農林省の予算がどっと入ってきて、土地改良をどんどんして。

使い物にならない原野をはぎ取って、サトウキビ畑にして。谷を埋めて、地形まで変えて。この事業の結果、赤土流出がおこって、海の生き物を殺してしまった。いかんともしがたい……。

パイン畑のために森が切り開かれて、森のチョウがいなくなって。それまでなかった、アメリカからもって来た牧草も繁茂するようになって。今、石垣島のそこここは、見た目は緑色をしているけれど緑の砂漠じゃないかと思うよ。僕の記憶の中の自然が消えてしまった。八重山に、こんな牧草の緑色が広がる光景はなかったから。僕の記憶の中の緑は、山の色だから。牛の糞尿も大変なんだよ。垂れ流しすると、栄養過多になるわけだ。川がよごれちゃってね。水が清流に見えても、もう飲めないんだよ」

マサキさんは、島の自然の変化について語りだすと、つい、語りに熱がこもってしまう。

「ツマベニチョウは食草のギョボクが少なくなって、姿を見かけなくなったよ。開発が進んで、山裾が狭くなってしまったから。ギョボクは、山裾とか、畑のわきとかに生えるんだ。石灰岩土壌のほうがよく生えるんだよ。そうした場所も、土地改良で減ってしまったんだよ。コノハチョウも少なくなってしまったし。オオゴマダラの食草を増やしてということをしている人もいるけどね、一種類のチョウだけ増やすというのも問題だなあと思うよ。

小さいコウモリはカサーラといっていたけど、これも見えなくなったなあ。夕方、ここらへんをパッパッパッと飛んでいたりしたよ。フクブクイザーという洞窟の中はコウモリでいっぱいだったよ」

江崎が島を訪れた際、あまりにチョウが多くてうるさいほどだったので、避けて通ったところがあったという話を書いている。その頃と比べると、チョウはずいぶんと減ってしまっている。また、フクブクイザーは、江崎が「八重山諸島昆虫採集記」の中で、「キクガシラの一種と思われる蝙蝠がいたが、昆虫は見つからなかった」と書いている洞窟だ。

「それと、自然破壊は水道だな。昔は井戸だったろ。段丘までは水がおいしかったよ。上にいくともっとおいしい。段丘から降りると塩水なんだ。ただ、場所によっては、海のすぐ近くでも淡水出るところあったよ。

昔は井戸端に、必ずフナムシがいたよ。井戸水も塩っぽかったから。標高が6メートル以下のところにある井戸は海水の影響で塩辛かったんだ。うちのあたりの井戸の水は飲めたけど、それでもフナムシはいたよ。井戸の水を飲まなくなったら、フナムシがいなくなったよ。井戸によって甘い、辛いがあったので、今でもどこの家の水が甘かったか覚えているよ。ヤンザスー（ヤンザ潮）という、新暦の12月から1月頃の夜の大潮の日、うちの井戸は3メートルぐらい、すっからかんになったものだよ。時間的に遅れがあって、朝は井戸の水がないから、顔も洗えない。ただ、このヤンザスーのときに、たいまつをもって、寒風の中、潮の引いた海にイザリをしにいったんだね。潮の干満も暮らしと密接だったよ」

卓爾の「石垣島気候篇」の2月の項に、この季節、夜間に大きく潮がひき、これを「ヤンザ潮」と呼び、海水面の低下とともに、陸の井戸も渇水や減水となると書かれている。なお、イザリというのは、夜間、潮がひいた海で、松明などを灯して魚介類を採る漁のことを言う。

「昔は、井戸で水、使うだろ。使った水は水たまりに捨てたんだよ。底に石を敷き詰めて吸い込ませていたわけ。水は汲み上げてもまた、浸透させる。海に雨水が、とうとう流れ込むことあまりなかったよ。今は使った水を土にしみこまないでしょう。みんなそのまま海に流してしまう。風呂、洗濯で使った水が、そうやって海に流れる。洗剤の被害もあるけど、真水がそのまま海に流れていくようになったことも、珊瑚に悪いんじゃないかな。1954年に、気象台に僕が入所したのと同じときに、水道ができた。便利になったが、自然との関わり合いはどんどん無くなっていったよ」

島の変化は、目には見えないところにも及んでいるとマサキさんは続けた。

「八重山の地名は、今の呼び方と昔の呼び方は違っているよ。大川はフーガー、登野城はトゥヌスク、石垣はイシャナギラ、大浜はホーマ、白保はスサブというように。北崎というのは、もともとキダ崎で、これはクロキの多いところという意味だったんだよ。それが北崎になってしまうと、もともとの意味がわから無くなってしまうだろ。通路川も、もともとはトゥール川。提灯の川という意味だよ。どうしてそう呼んだかというと、伊原間を発って、トゥール川にたどり着く頃に、夕方になって、提灯をともして渡ったからだというわけだ。

昔は道の曲がり角にもみんな名前あったんだよ。野原の道のわきの石にも、みんな名がある。海岸の石にも、ひとつひとつ名前があるんだよ。そんなのを文化というはずだけどな。田んぼにも一ますごとに名前があった。土地改良で田んぼも直線的に区切って配分をし直したら、文化がなくなっちゃった」

マサキさんは、そう言う。

「海鳴りも聞こえなくなったね。雑音が多くなったからだろうな。電線のうなりとか、クーラーの音とかに囲まれているからね。昔はゴーゴーと聞こえたよ。気象台でも海鳴りを観測していましたけれど、今ではできないよ」

## 気象観測業務の変化

時代と共に、気象観測業務も変わっていったとマサキさんは言う。

「科学が発達して、月に人が着陸して、遺伝子もわかって。何でもわかったつもりになっているけど、気象学は何もわかっていない。だから、本当は気象台の職員は、もっと勉強しないといけないと思うよ。たとえば月には人間が到着できるけど、天気予報はあたらないさ。なぜか。天気予報は複雑だから。東京タワーからはがきを一枚落としてみたら、どこへ落ちるかあてきれるかどうか。何時、どこから、投げるときの角度、風、温度……そうしたことで結果が全部違ってしまう。気象現象は、だから何もわかっていないということ。コンピューターが発達して、何でもわかっていると錯覚しているだけだよ。それと、上のほうから、決められたこと以外はするなと言われて。

僕の先輩にあたる宮良孫好さんは、気象台の研究発表の時、サクラの開花について報告したんだよ。サクラは全国的に生物季節の指標として取り上げられているけど、沖縄のサクラは種類がちがっていて、沖縄では、桜前線は南下するって。今はあたりまえのこととして知られていることだけど、この発表のとき、孫好さん、上司から〝今頃そんなことやってどうなるのか〟と、講評でさんざんにこきおろされたんだよ。今は、生物季節観測とかは、おろそかにされているよね。岩崎さんのころは、あんなにやられていたのにね。岩崎さんは台風の目の中の観測で、脈を測ったりもしているだろ。いろいろなことに目を向けろという教えなんだと思うよ。今はそうではなくて、みんなルーチンしかやらないから。岩崎さんは体制派ではないんだよ。所員には自分のやりたいことをやれと思っていたし、自分でもそれを実践した。僕もそうなんだよ」

予報官時代のマサキさんのエピソードを聞く。

「復帰前、琉球政府のころは、アメリカ式で休暇が80日取れたんだよ。一年20日を4年間分貯めると80日になる。僕、80日、取ったことがあるよ。それで雪を見に行ったんだ。年休願いを出したときの台長は北村さんだったが、総務課に届けをだしたら、〝台長が許可しないよ〟と言われて。〝そんなに休む人いるか〟とも。これ、気象観測初めて10年か15年目のこと。まだ雪みたことがないから、雪がみたいと思って。ところが、台長まで〝なんたる非常識〟と僕に言うわけだよ。だから〝非常識？あんた民主主義を知っているか？権利を主張する〟といったんだよ。そうしたら〝権利の前に義務〟というから、〝僕は義務を果たした〟と言ったわけ。すると〝何をしたか？〟とまた、聞き返されて。〝一生懸命ルーチンした〟〝それだけか？〟というので、それだけじゃないと。岩崎さんのころの観測台帳が整理されていなかったんだよ。それを僕が整理した。木箱に入っていたものが、木箱壊れて、ばらばらになっていたんだ。それを、夜勤のときをつかって、一枚一枚、綴り直して。それを新しい倉庫にきれいに並べたんだよ。それを台長に見せたんだ。〝僕はこんな大きな仕事をしました。誇りをもっている〟と。台長も本当は、整理したかったんだよ。でも予算がなかった。だから〝おまえがやったのか。わかった。１００日でも遊んでこい〟と言ってくれたんだよ。いい台長だったよ。それで、まだ復帰前なのでパスポートを持って、蔵王まで行ったんだ。朝起きたら、雪が降っていてふわふわと落ちてきて。浴衣のまま外に飛び出して、下駄履きで神社の階段を駆け上がって、両手を挙げて雪を受け止めて。気がついたら手足がかじかんで。階段を降りるのが大変だったな。毎日、天気図を書いていると、北海道に雪のマークをつけているわけなんだけど、雪をみたことがない。それがようやく雪を見れたよ。

復帰後は、年休は最大30日までになったんだけど、今度はアメリカに息子が行っていたので、年休を取ってアトランタまで会いにいったよ。このときも、許可をもらうまで、すったもんだがあって、20日しか休暇がとれなかった。たまたま帰国のときに大雪になってね、帰るのが一日遅れたから、始末書だよ。たかが20日ぐらいの年休でと思うよ。

退職後、ネパールに一年住んでいたけど、のんびり歩いていると、うしろからリュックを担いで早足で歩いているのは日本人だけ。ノルウェーとかから来たという人と話しをしていたら小学校の先生をしているけれど、３ヶ月の休暇中だと。金属加工が仕事という青年は、ウズベキスタンとかモンゴル通ってネパールまで歩いてきたとか。同じ人間なのにねと思ったよ。僕も若い頃、もっとそういうことがしたかったね」

マサキさんは何でも自分で試してみないと気が収まらないたちらしい。

「僕はずっとパラグライダーをやってた。平久保で、着陸するとき、横風が吹いて、それからちょっと怖くなったよ。そのときはヘルメットしていなかったら、死んでいたよ。あと1メートルで地面というところで、急に5メートルくらいまきあげられてから、斜めに落ちた。そこが岩。見たらヘルメットがへこんでいたよ。これはね、風というより熱気泡。暖められた空気が、わっと上にあがっていく。パラグライダーはね、それまで恐怖感はなかったわけ。最初に飛んだとき、断崖から海に飛んだんだけど、恐怖はなかったな。浮いたら気持ちがいい。景色がきれいだなって。

50を過ぎてからサーフィンも初めて。サーフィンをやるようになったら、流体力学、肌で感じて、初めて理解できたよ。これほど楽しいことないよ」

マサキさんの気象人としての最後の仕事場は沖縄島のはるか東の沖に浮かぶ南大東島で、台長を勤めた。

「南大東は行くべきだよ。おもしろい島だよ。だいたい、パラオの近くにあった島がフィリピンプレートに載って今の場所まで移動して。火山島の周囲にサンゴ礁が発達して、島が水面下に没した後に珊瑚礁が伸びて行って、どんどん火山島の上に石灰岩がつみあがっていって。そのあと島が盛り上がったのが今の南大東島なんだよ。戦前、北大東島でボーリングしても400メートル掘っても、石灰岩だったというだろ。基盤の岩は4〜5000メートルも下じゃないかな。だから海の中に立っている柱のようなものなんだよ。台風が来ると、島がゆれるんだよ。だから台風のときは、地震の観測はできないんだ。

復帰前、舞鶴の海洋気象台の船が海洋調査で観測に来て。僕、20日ぐらい乗って、一緒に観測したよ。南大東島の近くも観測したんだ。7000メートルぐらいの深さの海底から、5000メートルぐらいの高さの海山がいくつも立っているんだよ。人工衛星の観測とあわせると、こうした海山が、1年間に8センチ、喜界島のほうへ動いている。

ぜひ、南大東島に行ってみてごらん。もとは環礁だったから、島の中央には昔、礁湖だった池があるよ。この池が海の満ち引きに影響されるんだ。それに島の真ん中にある池の周りに、本当なら河口部に生えるはずのヒルギが生えているのもおもしろい。

南大東島の気象台には1年しかいなかったんだけどね。南大東島の海岸はノッチがないかわりに、海岸にそって、テラスみたいな地形がみられる。これをダンバタというんだ。ダンバタはどうやってできるのかなと興味がある。それでダンバタに降りてみていたら、島の人に怒られたねえ。〝そんなところにいたら、大波が来てさらわれるから、危険だ〟と。〝しかもあんた台長さんじゃないか。やめてください〟と。村長さんにも怒られたよ。確かに、ダンバタを歩いていて大きな波がきたことがあったなあ。そのときは、いそいで、崖を2～3メートルはいあがったんだよ。ずぶぬれになったよ」

マサキさんは、ツトムゆずりかどうかわからないが、かなり無鉄砲なところがある。

止まない好奇心

気象台を定年退職した後、先に少し話にでたように、マサキさんは1年間ネパールに住んでいた。

「長男のハジメがアメリカから帰って、今度はネパールで仕事をするようになっていたので、僕は定年したあと、ネパールの大学に入学してね。英語は好きでやってたから。終戦後、米軍の野戦食料が配給されて、これは大変、ありがたかったんだけど、僕が英語に興味を持った動機はこれなんだ。最初に覚えた英語は、ブレックファーストだよ。親父の遺してくれた辞書を引いて。蝋引きの紙に、大きくブレックファーストと書いてあったんだよ。開けると、インスタントコーヒー、たばこ、ガム、マッチ、缶詰、バター、チーズ、ビスケットなどが入っているわけ。ブレックファーストは、先生から習ったわけじゃないんだよ。

こうして、英語に興味があったから、ネパールに行く前から英検2級を持っていたし、大学に入っても、英語の講義はすぐ聞けたよ。大学に入る前にはネパール語も勉強してね。ずいぶん勉強したよ。学生にはスペイン人とかフランス人とかドイツ人とかいるから話をして楽しいし。でも2学期になったら、1学期の内容を忘れていてね。それで学校行くのがいやになっちゃった。家内も一緒に行っていたんだけど、それからは自由に山を歩いていたよ。

なぜ、ネパールに行ったかというと、高良先生との出会いがきっかけで地震に興味をもったんだけど、気象台では地震の観測をやらせてもらえなかったわけ。本庁の地震課に希望するんだけど行かしてもらえなくて。予報官ばっかり。でも、地震がやりたい。そこで、本を読んだんだ。すると地質を勉強しなくちゃならないし、地形を勉強しなくちゃならないということになって。そうして勉強をすると、今度は地質、地形のことが好きになってしまって。それで、インドがユーラシア大陸に潜り込んでいるところがヒマラヤでしょう。ヒマラヤがぜひみたくなって。ネパールに行ったんだよ。

ネパールから石垣に戻ってきて、今度は石垣島の海岸線を一周、歩き始めることにしてね。僕は欲張りだから、地質の本を読んで予習をして、生き物も勉強せんといかんと思って。海岸を歩いていると、赤土による環境汚染も現場が見えるし、漂着物にも気づくし。チョウも飛んでいるし。この前はリュウキュウムラサキが飛んでいるから、フィリピン型かボルネオ型かを見たくて追いかけたら、石につまづいてね。さすがに動作が鈍くなったね。注意せんといかんなあ。それで、海岸一周の記録を、石垣島海岸踏査記という記録に書き残しているよ」

マサキさんが中学のころ、島を歩いて一周する修学旅行があったというから、定年後の海岸一周は、この記憶もどこかで関係しているのかもしれない。ともかく、マサキさんはツトムもそうであったように、一時もじっとしていない人なのだ。

「このきっかけはね、息子の嫁が僕の健康を心配して、万歩計を送ってきたんだよ。でも、ただ歩くだけだと嫌だなと。無意味な歩きは嫌だ。それで何でも見てやろうと、海岸を歩き出したんだよ。するといろいろなことに興味がわいてきて。

例えばノッチという、海岸端の岩がえぐれるようになっている地形があるだろう。このノッチはなぜできるかとか。高校の地学の本を見ると、波の物理作用と、海水や雨の成分の化学作用でできると書いてあるけれど、僕はそんなもんじゃないと思う。生物学的な破壊があってできるもんじゃないかと。藻とか、穿孔虫とか。そういうのを、実際に観察して、考えて、そうやって歩いていたわけ。

海岸を汗流して歩いて、藪漕ぎして、ユウナとかアダンの林をぬけて、道にでようとしたら、畑にでたんだ。そこで、おじさんが仕事をしていて、〝あんたどっからでてきたか？〟と聞くんだよ。〝内地からきたのか？〟と。だから〝俺の顔、内地人に見えるか？〟と聞き返してね。するとおじさんが、〝リュックをかついで帽子をかぶっているからヤマトだと思ったよ。ヤマトの人しかそんなことしないよ〟というわけさ。〝こういうのが好きだからよ。八重山の人にも、そういうもの好きな人がいるよ〟と。〝あんた学者か？〟というから〝学者でもなんでもないよ。体重を減らすためだよー〟と言ったんだが。

イヌの群れにかこまれたこともあってよ。岬をまわったらイヌが5、6頭来てわんわん吠えてさ。そのうち僕の周りを取り囲み始めたから石ぶつけて投げたよ。それでみんな逃げていった。平久保は牧場があるだろ。種牛はいないだろうと思って牧場の中に入ったら、ウシが4、50頭いて、オイオイと声をかけたらみんな逃げたんだけど、1頭だけ逃げないウシがいたんだよ。それが種牛でよ。にらんでいるものだからさ、ゆっくりゆっくり後ずさって。身を隠すところがないんだよ。みたら、小高い岩があるから、そこまで50メートルあったけど、もう、100メートルを3秒で走るぐらいの勢いで走ったよ」

マサキさんが、笑いながらそんな話をしてくれる。

海岸歩きも、なかなかハードなのだ。

「海岸を歩いてみるもの、本当におもしろい。しばらくみなかった生き物にあってなつかしかったり。今はみんなアスファルトになっちゃったから、タテハモドキの食草だったイワダレソウも昔は道端にたくさんあったのに見えなくなって、それが海岸を歩いていると生えていたり。平久保で3メートルもあるオオイカリナマコみて、昔よく見たのも、こんなに大きかったよと思ったり」

こんな話をしながら、マサキさんは「地震やら、カニやら。振り返ると迷路の人生だな。何か一つまとめんといかんね」と言って、また、笑った。

島の歳時記

マサキさんは、同級生の石島さんと共著で『沖縄天気ことわざ　気象季語から旧暦まで』という本を書いている。

「寒緋桜」と題した文章の一部を引いてみる

ネパール・ヒマラヤの標高3000メートル付近の森林地帯を彷徨しているとき、まだ十月中旬だというのに、〝大満開のサクラ〟に遭遇し、感動したことがある。その一帯の森林は秋とはいえ、紅葉する樹もなく濃い緑のままだった。樹幹へ駆け寄って抱きかかえてみたが、妻と二人の手では到底足りない。ふと我にかえって足元を見ると〝緋色の絨毯〟だ、振り仰ぐと、花は釣鐘状に半開きで咲いている。房のまま散り敷かれている花の色も、樹皮も、枝振りも沖縄のサクラと全く同じではないか。(中略)沖縄ザクラの元祖の下で暫く花見の宴を楽しんだ。ポーターに急かされて森を下っていくと、２５００メートル付近で五分咲き、標高２０００メートルぐらいの村では、まだ蕾であった。(中略)春の花は温かいほど早く咲く。しかし、その暖かさの前にある程度の寒さを経験しないと、花は咲かない。このことを植物の春化作用(バーナーリゼーション)という。亜熱帯の沖縄ではいつでも〝暖かさ〟はあるので、むしろ〝寒さの経験〟のほうが重要となる。(中略)沖縄の桜前線は本土とは逆に、県内の島々を南下していく傾向が見られる。

また「白夏・白北風(スサナツ。スサニスカジ)」という文章では、先に紹介した、秋の始まりを白夏と呼ぶという話が紹介されている。

「赤トンボが飛び交い、おみなえしやりんどうが咲き、かえでやつたが紅葉して、歳時記どおりに移り変わっていく本土の秋にくらべると、八重山の秋には、きわだった色彩の変化は、まったく見あたらない。しかし、夏の太平洋高気圧の支配下から、大陸から出てくる冬の気団に替わる、九月中旬ごろの微妙な風や空の変化をとらえて、白夏(スサナツ)・白北風(スサニスカジ)と呼んだわれわれの祖先の感覚には、きっとすばらしいものがあったに違いない」

そうマサキさんは書いている。マサキさんは卓爾ゆずり、ツトムゆずりの気象観測や、自然への好奇心を受け継ぐとともに、島人としての、島の伝承や言葉についての深い愛情をも受け継いでいる。

そして、この本の副題には、「気象季語」という言葉がでてくる。マサキさんは南の島、石垣で、俳句を詠んでいるのだ。

「石垣島の台長をしていた北村さんも、岩崎さんが俳句を詠んでいたからと、ある時から俳句を始めたんだよ。そのとき、北村さんは〝気象台の職員はみんな俳句やれ〟なんていうんだよ。そんな命令聞くやつ、2、3人で、他はほとんどいなかったよ。北村さんは〝予報官が季語をわからなくてどうする〟というんだけどね。このとき僕は〝文学なんて〟って思ったわけさ。ところが北村さんが、さらに、〝君たちにはセンスが無いと〟までいいだして。自分は琉球新報の俳壇賞も取ったからと言って、いばるわけさ。それを聞いて、僕はむらむらして、俳句をやるようになったんだよ。僕の号は正木礁湖で、今でも続けているよ。これも結局、岩崎さんの影響だなあ。こんなふうに、僕らの時代までは岩崎さんの影響があるなあ。おもしろいよね。うちの親父は、そういうセンスがあるかどうかを試す前に死んじゃったわけだけど」

本に掲載されている、マサキさんの句を引いてみたい。

「白夏」もまた、南島ならではの季語の一つであるとマサキさんは紹介している。

手ぬぐいの乾きごわごわ夏白む　礁湖

サシバの渡りもまた、島では季節の指標となる出来事だ。

鷹の渦水牛の尾のゆれやまず　礁湖

継いでいくもの

「僕が息子の時代に生まれていたら、島を飛び出していたんだろうな」

マサキさんはそう言う。実際、マサキさんの息子であり、僕と同年のハジメは、アメリカに語学留学をしたのち、ネパールで海外援助関係の仕事に就き、その後はオーストラリアに仕事を見つけた。島に生まれたから島にこだわり、島の中の世界を見続ける人生もあれば、島から外に出て、より広い世界を見たいと望む人生もある。いや、一人の人間の中に、その両面があるのかもしれない。ツトムも一時、南方での気象観測に、心を動かしている。

「僕は島に生を受けて、島の自然を美しいと思って、その島の自然がいつまでもみきらないんだな。普段はあたりまえだと思っている自然だけど、春夏秋冬で違っているし。例えば、亜熱帯のこの島で俳句は作れるかと。やってみると、南の島にも季節はあるし。季語もあるんだよ。南の島でもその季節にならないと、セミは鳴かないし。シーミーサンサンというのはイワサキクサゼミのこと。春、シーミー（清明）の時期にならないとでてこないから、こんな名前なんだよ。夏至にならないと鳴かないクマゼミは、カーチーサンサンだ。今の子どもたちは、生の自然にちっとも感激しないで、みんなテレビで知っている…というわけさ。でも、ものはよく見つめろよと、言いたいね。子どもたちの手をひっぱりながら、あっちこっち見せてやるべきだなと思うよ」

卓爾にちなんだ名をもつイワサキクサゼミは、島ではシーミーサンサンと呼ばれてきた。この「草蝉」も、南島ならではの季語としてマサキさんが先の本に紹介している。

草蝉をきく胸像の太き耳　礁湖

「岩崎さんは、あれだけ歳時記のようなものを残したのがえらい。風の名前とか。もう残っていないよ。言い伝えていかないと、どうにもならない。闇夜があるだろ。旧正月の前後の闇が一番深いんだよ。雲があって、星明りもないようなときがあるだろう。闇のことをヨーンというけど、そのころの前後の闇の暗さを比較して、ウトゥドヨーン、シジャヨーン（弟闇と兄闇）と呼び分けて、それでその年の豊凶を占っていたことがある。こうしたこと、ほとんど忘れられているけど。それでも、こうした話を新聞に書くと、古老から電話があって、〝ありがとう、思い出したよ〟と言われるんだよ。こうした話、岩崎さんが書かなければ、なくなっていただろうな」

卓爾の「石垣島気候篇」の1月の項に、「陰暦正月前後の闇を俗に〝弟闇（ウトドヨン）〟〝兄闇（シジャヨン）〟と称し、其明闇の度により、又井水を秤量して年の豊凶をトし」とある。

「岩崎さんはものを見つめる目、自然を見つめる目を、親父や瀬名波さんらに教えたんだと思うよ。

その目をうけついで行かないと行けないと思う。気象業務も日進月歩どころか分進秒歩のいきおい。そうなると、自然をながめるひまはなくなってしまってね。僕らの上の世代だと、北村さんとか、宮良孫好さんとか、そうした目をうけついでいる人がいたけれど」

マサキさんは、そうした目を受け継いだ。そして、自身もまた、そうした目を気象台の後輩へと伝えていった。

「僕より下の世代だと、宮城邦昌がいるね。彼は八重山じゃなくて本島出身だけど、岩崎さんにも興味をもっているよ。彼は水産高校の通信科を出ていて、卒業後、すぐに石垣に来たんだよ。やんばるの奥出身で、最初、なかなかしゃべれないでいたんだ。ある日、気象電報が必要で、彼にお願いをしに行ったら、机の上でなにか写生をしているんだよ。見ると、大きなガを描いてるわけ。〝絵が好きか？〟と聞くと〝初めて描きました〟と。〝このガの名前はなにか？〟と聞くと、〝ガに名前がありますか？　ハベルじゃないですか？〟というんで、〝君に宮城邦昌という名前があるように、生き物ひとつ、ひとつに名前があるよ。調べてみような〟と言って、図鑑で調べたんだよ。彼は動物の図鑑を初めて見たとびっくりして。それからうちに遊びに来るようになったんだ。そのころ僕はチョウの標本を作っていたんだけど〝チョウって、こんなにきれいですか〟と言って、〝チョウの卵って見たことありますか？〟というから、ちょうどギョボクに産み付けられていたツマベニチョウの卵を見せてね。そうしたら、興味持ち出して、猛勉強をはじめるんだよ。本屋に注文して昆虫図鑑を買ったり。そのころ、蚊帳をつって眠っていたんだが、彼は蚊帳の中でチョウを飼育していて、自分は蚊帳の外でカにかまれながら眠っていたよ。

そのあとに、もう一人嶺井というチョウに興味をもったのがあらわれて。彼も、最初は〝チョウに針さして残酷なことする〟とか言っていたんだけど、いつのまにか、チョウにはまって、自分でも捕まえだしてね。おそらく、岩崎さんも、そんなふうに周りの人をひきずりこんだんじゃあないかな」

さっそく、その宮城邦昌さんにも、当時の宮城さんの職場であった沖縄気象台地震火山課に会いに行って、話を聞くことにした。

「僕は水産高校を出て、通信で気象台に採用されたんです。最初の赴任先が石垣島です。ちょっとした縁で、石垣島について3日目ぐらいで正木謙さんと知り合いました。〝おまえ誰か〟と正木さんが声をかけてきて。それから一ヶ月後に、気象台の創立記念日がありました。そこに瀬名波長宣さんが杖つきながら入ってきて、記念講演をしたんですよ。気象台には岩崎卓爾の像があります。気象台は、職場として特殊な雰囲気がありましました。例えば戦時中は金属供出令がでていたはずなのに、気象台に岩崎さんの金属製の像が残っていたのも、おかしいなと。

その当時、譲さんの父親の正木任らと一緒の頃の先輩が、気象台の図書館に一人いました。それが喜舎場浩さんです。その図書館には古い文献とか虫の図鑑とかがありました。

瀬名波さんは貝を集めていましたが、僕も昔から、石ころを集めるのが好きでした。気象台に入ってからの、僕と生き物との関わりは、僕が石垣島に赴任したとき、たまたまキョウチクトウにスズメガが異常発生していて、その幼虫の絵を描いたり、飼育したりしたのが始まりです。

こうして、正木謙さんに声をかけられて、虫に興味が出て、コノハチョウやアサヒナキマダラセセリとかを調べ始めました。これらのチョウが天然記念物に指定される前の話です。以前は石垣にはコノハチョウがずいぶんといて、それこそ、顔に当たるぐらいいた場所もありました。コノハチョウの卵を見つけて缶に入れて置いたら、2、3日してふ化したんです。それで、コノハの食草のセイタカスズムシソウを探して。正木のばあさんに〝コノハチョウの食草がどこにある?〟と聞いたら、〝川のたもとに丸い葉っぱの草があるから〟というんです。それで、それらしいのをとってきて、今度は瀬名波のばあさんに見せると〝違う、違う〟と言われて。それで2日がかりでやっと〝そうだ〟と言われる草を見つけて、あげたらちゃんと食べたんです。

僕はよくばりで、虫だけじゃなくて石にも興味があって。この前も雲仙まで行って、石を持って帰ってきた。うちの中はガラクタばかりでカミさんに怒られます。そうした興味は、今の気象業務と関係ないともいわれてしまうけれど」

その宮城さんから、その当時のコノハチョウの飼育観察記録のノートのコピーをいただいた。コノハチョウの卵や幼虫、サナギのスケッチと共に、気づいたことがびっしり書き込まれている。ツトムのコノハチョウの観察記録が、もう少しまとめられていたら、かくありなんという内容だ。

なお、宮城さんは、気象台を退職後、現在は、その郷里である国頭村・奥の郷土史や文化の発掘に力を入れている。また研究者とタッグを組んで、八重山の津波石の調査を行うなど、ツトムやマサキさん同様、休むことない活動を続けている。その成果の一部は、郷里、奥の総合的な研究の報告である『シークヮーサーの知恵　奥・やんばるの「コトバ―暮らし―生き物環」』（大西・宮城編２０１６）などに発表されている。僕にとって、卓爾を始祖とする八重山学の先生がマサキさんであるとしたら、その延長に位置する山原学の先生が宮城さんであり、宮城さんからも、たえずつきぬ話を教えてもらっている（盛口・宮城　２０１７）。

瀬名波家には、戦後、江崎が長宣あてに出した葉書が今も残されている。残念ながら、貼られていた切手は、切手収集用に葉書ごと切り取られており、消印がわからないため、投函された年はわからない。ただし、葉書の、「正木任さんはまことにおしい方でありまして、同氏のことを記念して謹んで発表いたしたいと思っておりますので、近くいろいろと資料を送ってくださる由、鶴首してお待ちいたすしだいであります」という文面は読み取れる。残念ながら、江崎がツトムのことを紹介する文章は書かれることはなかったが、当時、昆虫学の第一人者であった江崎がツトムのことを高く買っていたことが、この手紙からも読み取れる。

「僕の人生、気象台に入らなかったらどうなっていたか。僕には岩崎さんの影響が大きいが、親父がいて、物の見方、考え方、気象についてなど、直接、教えてもらえればよかったなあと思うんだけどね。もう少し親父が長く生きていたらと。親父の2倍生きているのに、親父ほど勉強していなくて、恥ずかしいな」

マサキさんは、ここまで紹介したように、止まらぬ好奇心と共に、人生を歩んできた。それでもツトムにはとうていかなわないと自身のことを評価する。

「岩崎さんはいろいろな人に影響を与えたね。八重山のことわざ、俚諺も本にしたし。親父も、もう少し生きていれば、一冊ぐらい本をだしたんじゃないかな」

マサキさんは、重ねて、そう言う。

しかし、マサキさんは、ツトムがなそうとしたことを継ぎ、出されなかった本に書かれるはずだったことを、自身の一生をかけてつむぎだそうとしたのではないだろうか。

この本が、そのことを少しでも明らかにできていたらと思う。

# 終章

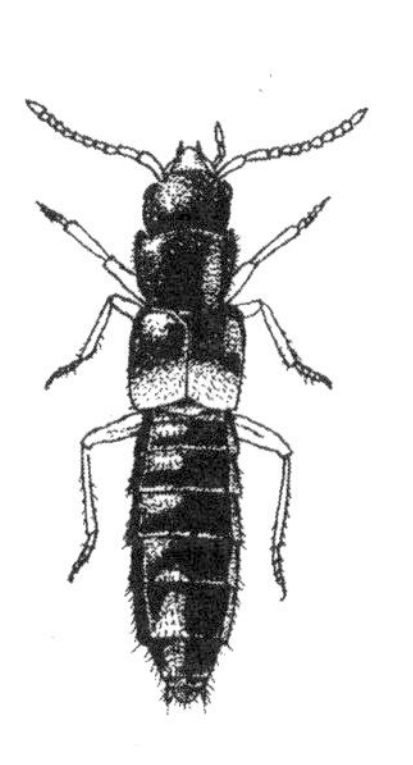

モリグチナギサハネカクシ
（2.2mm）

系譜上の虫

「論文がでました」

九州大学で、昆虫を専門としている丸山宗利さんから、メールが届く。

丸山さんとの出会いも、卓爾に端を発する。

生物季節観測で観測対象となった、石垣島のセミやホタルの標本を、卓爾は北海道帝国大学の松村松年に送り、名前を問うた。その結果、卓爾の名を冠するイワサキゼミやイワサキヒメハルゼミといった虫たちの名前がうまれていく。その記載の元となった、タイプ標本は現在も北海道大学農学部に保存されている。僕はそれらの標本を実見すべく、北大を訪れた。その際、会ったのが昆虫の中でもハネカクシの分類を専門としている、丸山さんだった。

丸山さんは、潮間帯に棲むハネカクシと、アリの巣に棲むハネカクシを研究していた。そして僕に、興味深い海のハネカクシがいることを教えてくれた。それが、江崎が1935（昭和9）年に石垣島の沖合の珊瑚礁で見つけ記載された、エサキサンゴハネカクシだった。このハネカクシは江崎が見つけて以降、見つかっておらず、丸山さんは沖縄に居住している僕に、機会があったら、そのハネカクシを探してみてはどうだろうかと声をかけてくれたのだった。

偶然、沖縄島でエサキサンゴハネカクシを再発見した経緯は、すでに『ゲッチョ昆虫記』で記したとおりだ（はからずも、この再発見の場を設定したのは、マサキさんの長男であるハジメだった）。僕はこうしたことから、まだ調査がゆきとどいていないという、沖縄島や石垣島などの海岸に棲む、潮間帯のハネカクシを採集しては、せっせと丸山さんに送り届けた。その中には、どうやら未記載種も含まれているようだったけれど、この仲間の全容が不明であるため、記載には時間がかかるだろうということが、丸山さんからの返信には書かれていた。

それから10年以上たって。

潮間帯のハネカクシを丸山さんに送り付けたことも忘れかけたころ。丸山さんの研究室の大学院生が中心となり、日本全域にわたっての潮間帯域に棲む、ナギサハネカクシの仲間の分類、記載をまとめた論文を発表したという連絡が、僕のところにとどいたわけだった（Liu et al. 2021）。ナギサハネカクシの仲間（ハネカクシ科・ナギサハネカクシ属）はインド洋から太平洋の島々の沿岸にかけて分布していて、今回の研究により、日本には17種のナギサハネカクシ類が生息していることがわかり（そのうち9種をこの論文で新種として記載）、日本はナギサハネカクシの多様性が最も高い地域であることもわかったという。そして論文を読んでみて、新たに記載されたナギサハネカクシの一つに、モリグチナギサハネカクシと、僕の名がついたことも知った。初めて、虫に自分の名がつく。

この虫の存在を知る人はほとんどいないだろう。何せ、体長はわずか2ミリちょっと。今のところ沖縄島で一か所と、西表島で一か所の海岸でしか見つかっていない。その海岸でも、姿を見るのは、潮のひいた一時だけだ。そんな虫ではあるけれど、この虫は、僕が卓爾に出会い、ツトムのことを知ったからこそ、今、その名でよばれることになったものだ。

だから。

モリグチナギサハネカクシは、イワサキゼミやマサキウラナミジャノメと続く、虫の名の系譜上に位置している。卓爾の虫や、ツトムの虫は、過去の話の中だけで終わりとなったわけではないのだ。

終わりに

２０２1年。沖縄では6月23日は慰霊の日と定められている。その数日後、沖縄戦の激戦地となった沖縄島南部に戦後造られた平和記念公園に家族で向かう。おりあしく、梅雨時期のさなかの激しい雷雨の中である。公園の駐車場で雨が収まるのを待ち、どうやら小ぶりになった機を見て車外に出る。ここには、沖縄戦で命を落とした人々の名を刻銘した平和の礎がある。雨にぬれた公園の小道を平和の礎に向かう。

「こっちだったけ？」

「あった、あった」

台湾沖で遭難したツトムは、遺体もあがっていない。そのツトムの名が礎には刻字されている。また、雨が強く降り出してきた。持参した日本酒の小瓶の蓋をあけ、礎に注ぐ。大急ぎで、子どもたちをツトムの名が刻字された礎の前に立たせて写真を撮り、車に戻った。

「写真、石垣の〝じい〟に送ろうなあ」と言いながら。

35歳で生涯を閉じたツトムの人生は、決して長かったとはいえない。

しかも21歳で石垣島の測候所に勤務するようになるまでの人生は、どちらかといえば不遇であったとさえいえるかもしれない。しかし、測候所に勤務してのちのツトムは、短いながらも充実した人生を駆け足で走り抜けていく。

『沖縄　天気ことわざ』という本の中に収められた「寒緋桜」と題された文章の最後に、マサキさんは「人生もまた、あるべき時期に適度な〝寒さの体験〟が、開花・結実のために必要なのではなかろうか」と書いている。その時、マサキさんの脳裏には、ツトムのことが思い浮かんでいたのではないだろうか。

「あなたの遺志を継いで、与那国島測候所長になり、南大東島地方気象台長になりました」

マサキさんが、あの世でツトムにあったら、言おうと思っている言葉である。

# 引用文献

安渓貴子・盛口満編　2011『聞き書き島の生活誌⑤　うたいつぐ記録　与那国・石垣島のくらし』　ボーダーインク

飯倉照平　1996『南方熊楠　神羅万象を見つめた少年』　岩波ジュニア新書

石島英　1996「天文屋のお主前　岩崎卓爾の人と業績」『平成8年度沖縄地区大学放送公開講座　〝琉球に魅せられた人々〟』:125-134

石島英・正木譲　2001『沖縄天気ことわざ　気象季語から旧暦まで』　琉球新報社

磯野直秀　1988『三崎臨海実験所を去来した人たち　日本における動物学の誕生』　学会出版センター

伊藤修四郎　1947「琉球産Ypthima属蝶類三種」『ZEPHYRUS』9:272-278

上野益三　1974「江崎梯三　その人と学問」『江崎梯三著作集　第一巻』　思索社　pp.347-373

ウォーレスA.R.　新妻昭夫訳　1993『マレー諸島』　ちくま学芸文庫

江崎梯三　1933「日本沿海に産する海産半翅類」『植物及動物』1:771-784

江崎梯三　1935「コノハテフの〝擬態〟問題」『植物及動物』3:45-58

江崎梯三　1935「八重山列島に於ける珊瑚礁の昆虫相」『動物学雑誌』47(557):140-141

江崎梯三　1941「コウトウシジミ石垣島に産す」『ZEPHYRUS』9(2):35

江崎悌三　1984「日本の現代昆虫学略史」『江崎悌三著作集　第二巻』　思索社　pp.141-222

江崎梯三　1984「八重山諸島昆虫採集記」『江崎梯三著作集　第三巻』　思索社　pp.171-199

江崎悌三　1984「八重山遊記」　上掲書　pp.201-242

江崎梯三・野村健一　1937「本邦産蝶類の三未記録種」『ZEPHYRUS』7(2/3):106-108

大島広　1933「八重山・宮古諸島採集旅行記　その2」『植物及動物』1(5):
976,1141-1156
大島広　1935「八重山の動物」(1)～(6)『植物及動物』3:89-100, 437-449,601-612,775-789,963-
大島広　1947「岩崎卓爾翁と正木任君」柳田国男編『沖縄文化叢論』中央公論社　pp.73-80
大島広　1956『お玉杓子の頃』私家版
大島広　1962『ナマコとウニ　民謡と酒のさかなの話』内田老鶴圃
大西正幸・宮城邦昌編　2016『シークワーサーの知恵　奥・やんばるの「コトバ―暮らし―生き物環」』京都大学学術出版会
沖縄気象台編集　1990『沖縄気象台百年史』日本気象協会沖縄支部
沖縄大百科事典刊行事務局編　1983『沖縄大百科事典』沖縄タイムス社
加藤真　1999『日本の渚』岩波新書
加藤正世　1952『趣味のハンドブック　昆虫採集』三十書房
唐沢孝一監修　1998『鳥獣報告書（復刻版）』皓星社
菊池南海子　1969「孤島の父・岩崎卓爾」谷川健一ほか責任編集『ドキュメント日本人　7　無告の民』學藝書林　pp.206-225
清沢洌　1960『暗黒日記』岩波文庫
黒岩恒　1895「八重山列島の魚類毒殺法」『動物学雑誌』7(85):395
高桑正敏　1999「美しいチョウには毒がある?」上田恵介編『擬態　だましあいの進化論（1）昆虫の擬態』築地書館　pp.1-10
谷川健一　1996『沖縄』講談社学術文庫

谷真介　１９８２　『台風の島に生きる』　偕成社文庫
伝統と現代社編集部編　１９７４　『岩崎卓爾一巻全集』　伝統と現代社
中原孫吉　１９４２　『日本の動物季節』　朝日新聞社
名和靖　１９０９　「木の葉蝶に就きて」『昆虫世界』13(137):4-8
平田義浩ほか　１９７３　『沖縄の貝・カニ・エビ』　風土記社
正木任　１９３７　「八重山諸島の蝉類の出現期に就いて」『むし』　10:25-30
正木任　１９３８　「岩崎卓爾先生を憶ふ」『ZEPHYRUS』8:69-71
正木任　１９４１　「尖閣群島を探る」『採集と飼育』3:102-111
正木譲　２０２１「尖閣の想い遥かなり―父子2代上陸調査の夢果たす―」尖閣諸島文献資料編纂会
松村松年　１９３１　『日本昆虫大図鑑』　刀江書院
丸山宗利　２００４　「海に棲む昆虫たち」『昆虫と自然』39(2):4-7
三木健　１９９８　『沖縄ひと紀行』　ニライ社
盛口満　２００７　『ゲッチョ昆虫記』　どうぶつ社
盛口満　２０１１　「八重山の〝生き物屋〟のはじめ―正木任のこと」　安渓遊地ほか編　『奄美沖縄環境史資料集成』　南方新社　pp.645-652
盛口満・宮城邦昌　２０１７　『やんばる学入門』　木霊社

Liu T. et al. 2021 Revision of the intertidal rove beetle genus Bryothinusa from Japan (Coleoptera: Staphylinidae: Aleocharinae). ACTA ENTOMOLOGICA 61(1):163-201
Sawada K. 1956 A new intertidal species of Staphylinidae from Ishigakijima, Ryukyu Islands (Coleoptera) KONTYU 24:197-199

著者プロフィール
盛口　満（もりぐち・みつる）
1962年千葉県生まれ。千葉大学理学部生物学科卒。自由の森学園中高等学校教諭を経て、2000年に沖縄移住、NPO珊瑚舎スコーレの活動に関わる。2007年より沖縄大学人文学部こども文化学科教員。2019年より沖縄大学学長。主な著書に『ゲッチョセンセのおもしろ博物学』（ボーダーインク）、『琉球列島の里山誌』（東京大学出版会）、『ゲッチョ先生と行く沖縄自然探検』（岩波ジュニア新書）、『歌うキノコ』（八坂書房）など。

イラスト　盛口満

「ツトムの虫」を探して

石垣島の自然観察者　正木任の残したもの

初版第1刷　2021年11月30日発行

著　者　盛口　満
発行人　池宮紀子
発行所　ボーダーインク
沖縄県那覇市与儀226-3
電話　098-835-2777
FAX　098-835-2840
印刷所　でいご印刷

ISBN978-4-89982-418-3